Elke Montanari ● Mit zwei Sprachen groß werden

D1133574

Elke Montanari

Mit zwei Sprachen groß werden

Mehrsprachige Erziehung in Familie, Kindergarten und Schule

Mit einem Vorwort von Prof. Dr. Jürgen M. Meisel
und einer Schlussbemerkung von
Prof. Dr. Rosemarie Tracy

Kösel

Für Luisa, Valerio und Alessio
und alle Kinder auf ihrer Entdeckungsreise
durch die Welt

4. Auflage 2005
© 2002 by Kösel-Verlag GmbH & Co., München
Printed in Germany. Alle Rechte vorbehalten
Druck und Bindung: Pustet, Regensburg
Grafiken: Monica May-Vetter nach Ideen von Mauro Montanari
Umschlaggestaltung: Elisabeth Petersen, München
ISBN 3-466-30596-9

Inhalt

Vorwort

Mehrsprachigkeit in Deutschland – für die meisten Menschen hierzulande ist dies ein Thema, das doch eher eine Minderheit oder einige Minderheiten betrifft. Ein mehrsprachiges Land? Dabei denkt man an die Schweiz, Belgien, vielleicht an den »Schmelztiegel« USA oder etwa an afrikanische Länder. In Deutschland sind die anderssprachigen und damit auch mehrsprachigen Teile der Bevölkerung im allgemeinen Bewusstsein nie so gegenwärtig gewesen, dass sie das Selbstbild entscheidend mit geprägt hätten. Und obgleich inzwischen in der öffentlichen Debatte deutlich geworden ist, dass Deutschland eben doch ein Einwanderungsland ist, wird der damit auch zahlenmäßig enorm gewachsenen Bedeutung der Mehrsprachigkeit noch immer relativ wenig Aufmerksamkeit gewidmet. Sehr deutlich zeigte sich das in der Diskussion um das Zuwanderungsgesetz. In dem Bericht der Unabhängigen Kommission »Zuwanderung« (Süssmuth-Kommission) spielt dies Thema zum Beispiel keine Rolle. Nur die – sicherlich unbestreitbare – Notwendigkeit, dass die Zugewanderten Deutsch lernen müssen, wird nachdrücklich betont. Es entsteht der Eindruck, man müsse zwischen den Sprachen wählen und sich für eine entscheiden. Die an sich doch nahe liegende Lösung der Mehrsprachigkeit wird kaum bedacht. Sie bedeutet allerdings, dass neben dem Erlernen des Deutschen auch die Herkunftssprache gefördert werden müsste.

Nun ist es aber keineswegs so, dass nirgendwo von Mehrsprachigkeit die Rede wäre. Vielmehr scheint weitgehende Übereinstimmung darüber zu bestehen, dass deutschsprachige Kinder mehr als bisher und auch besser andere Sprachen lernen sollten. Gründe dafür lassen sich leicht finden, in den zunehmend engeren Beziehungen zwischen den Ländern der Europäischen Union ebenso wie mit dem Verweis auf Globalisierung. Längerfristige

Auslandsaufenthalte und auch die Bereitschaft zum Gebrauch anderer Sprachen am Arbeitsplatz im eigenen Land sind Anforderungen, die nicht mehr nur für eine kleine Zahl von hoch qualifizierten Personen gelten. Darauf soll eine rasch wachsende Zahl von bilingualen Klassen und Kindergärten und von internationalen Schulen vorbereiten.

Angesichts dieser Bemühungen muss es erstaunen, dass die in Deutschland gelebte Mehrsprachigkeit vergleichsweise geringe Aufmerksamkeit und Unterstützung erfährt. Auch sie ist eine Folge des Zusammenwachsens Europas und der weltweiten Globalisierung, und auch sie bietet ein enormes Potenzial, kulturell und wirtschaftlich. Ihre Förderung ist durchaus im Interesse der gesamten Bevölkerung. Mit der Einrichtung von Deutschkursen ist aber bestenfalls eine halbe Lösung erreicht.

Die wahrscheinlich wichtigste Aufgabe besteht in der Förderung von Kindern, die mit zwei oder mehr Sprachen aufwachsen. Die Mehrsprachigkeit entwickelt sich in diesen Fällen in Familien, die in einer überwiegend einsprachigen Umgebung leben, ob die Eltern nun beide eine andere Sprache sprechen, ob ein Elternteil Deutsch spricht oder sogar beide. Sie müssen sich mit einer Vielzahl von praktischen Problemen auseinander setzen, mit Zweifeln über die Möglichkeit der zweisprachigen Erziehung und mit Vorbehalten und Vorurteilen der einsprachigen Umwelt. Sie müssen sich aber oft mit ihren Fragen und Zweifeln alleine gelassen fühlen; dann kann der Druck übermächtig werden, sich der einsprachigen Umgebung anzupassen. Die Folgen einer solchen Entscheidung können durchaus negativ sein. Für den Elternteil, dessen Sprache aufgegeben wird, ebenso wie für das Kind, dem der Zugang zur Lebenswelt der Mutter oder des Vaters erschwert wird.

Dies ist umso bedauerlicher, als viele der möglichen Probleme lösbar sind und viele der Zweifel ausgeräumt werden könnten. Das gilt auf jeden Fall für alle die Fragen, welche die Möglichkeit des Erwerbs von zwei oder auch mehr Sprachen im frühen Kindesalter betreffen. Die Sprachwissenschaft, speziell die Psycholinguistik, hat in den vergangenen 25 Jahren eine Vielzahl von Untersuchungen vorgelegt, die keinen Zweifel daran lassen, dass die menschliche Sprachfähigkeit eine Anlage zur Mehrsprachigkeit bedeutet, eine Befähigung, zwei oder mehr Sprachen simultan zu erwerben.

Ältere Untersuchungen hatten gelegentlich zu Bedenken Anlass gegeben, ob nicht etwa jede der Sprachen unvollständig erlernt würde, ob nicht die geistige Entwicklung durch eine Überforderung der kindlichen Möglichkeiten belastet würde und so fort. Heute weiß man, dass die vermuteten Defizite, sofern sie tatsächlich auftreten, nicht die Mehrsprachigkeit als Ursache haben. So hatte man in früheren Studien Mängel beim Schulerfolg bilingualer Kinder festgestellt. Die untersuchten Kinder stammten jedoch aus ökonomisch und sozial unterprivilegierten Einwanderergruppen, deren schulische Leistungen sich in Wahrheit nicht von denen von vergleichbaren monolingualen Kindern unterschieden. Häufig wurden auch (und werden gelegentlich immer noch!) tatsächliche oder vermutete Auffälligkeiten in der Entwicklung (Stottern, verzögerte Sprachentwicklung usw.) kurzschlüssig der Mehrsprachigkeit angelastet, ohne dass ein ursächlicher Zusammenhang aufgezeigt worden wäre. Sorgfältigere Studien, die auch Vergleiche mit einsprachigen Altersgenossen anstellten, konnten solche Vermutungen schließlich widerlegen.

Inzwischen besteht in der Forschung zur kindlichen Mehrsprachigkeit Übereinstimmung darin, dass Kinder, die von Geburt oder von früh an mit zwei (oder auch mehr) Sprachen aufwachsen, diese ohne besondere Mühe trennen und separate Sprachkenntnisse entwickeln, ohne dass es dazu eines speziellen Trainings oder intensiver Fördermaßnahmen bedürfte. Entscheidend ist, dass die erworbene grammatische Kompetenz in jeder der Sprachen derjenigen entspricht, über die vergleichbare einsprachige Kinder verfügen. Natürlich bedeutet das nicht, dass alle diese Möglichkeiten auch gleichermaßen geschickt nutzen, wenn sie ihre Sprachen gebrauchen – wie Einsprachige auch. Solche Fertigkeiten erlernt jeder in anderer Weise, und sie verändern sich auch im Verlauf des Lebens. Das menschliche Spracherwerbsvermögen steht hingegen allen zur Verfügung und erlaubt ihnen, eine, zwei oder auch drei Sprachen zu erwerben – wenn das im frühen Kindesalter geschieht. Natürlich kann man auch später noch Sprachen erlernen, aber, wie die meisten von uns leidvoll erfahren haben, führt das in aller Regel nicht mehr zum gleichen Erfolg wie beim kindlichen Spracherwerb.

Aus solchen und ähnlichen Einsichten, die durch die Forschung mit mehrsprachigen Kindern in den vergangenen Jahren gewonnen wurden, lässt sich leicht die Schlussfolgerung ableiten, dass eine mehrsprachige Erziehung Möglichkeiten eröffnet, die später und auf andere Weise nur mit Mühe erreichbar sind – wenn überhaupt. Diese Erkenntnis bleibt jedoch wertlos, wenn sie nicht zu den direkt Betroffenen gelangt, hier also vor allem zu den Eltern und Erziehern.

Eben diese Vermittlung ist die besondere Leistung und das Verdienst des Buches von Elke Montanari. Es gelingt ihr, aus der wissenschaftlichen Literatur eine Summe zu ziehen, die für die mehrsprachige Erziehung eine Vielzahl von wichtigen Einsichten bereithält, ohne dass die zu Grunde liegenden wissenschaftlichen Erkenntnisse bis zur Unkenntlichkeit simplifiziert würden. Dabei kommt ihr ohne Zweifel zugute, dass sie neben einer wissenschaftlichen Ausbildung über eine umfangreiche praktische Erfahrung verfügt, die auch in Form zahlreicher Zitate und Beispiele im Text sichtbar wird und ihn so noch lesenswerter macht. Daher kann ich nur dem Buch viele Leser wünschen und diesen Spaß und Gewinn versprechen.

Prof. Dr. Jürgen M. Meisel
Universität Hamburg,
Institut für Romanistik/
Sonderforschungsbereich Mehrsprachigkeit

Über mich und dieses Buch

In Berlin studierte ich Sprachwissenschaft und arbeitete mich durch die Theorie. Ein paar Jahre später begegnete ich meinem Mann in Italien. Als sich unser erster Sohn ankündigte, stellte ich mir die Fragen, die wir alle kennen: Soll er zweisprachig aufwachsen? Wie geht das? Ich knüpfte an mein Studium wieder an und entdeckte, welche Schritte inzwischen in der Forschung getan wurden.

Heute habe ich drei Kinder. Sie sprechen Deutsch und Italienisch. Manchmal verhalten sie sich genauso, wie es in meinen Büchern steht – aber meistens anders!

Auf zahlreichen Seminaren und Workshops mit Experten und Eltern reiften viele Ideen weiter. Unsere Erkenntnisse, Überlegungen und Diskussionen habe ich in diesem Buch zusammengefasst. Alles ist möglichst klar und verständlich beschrieben; Literatur für Fachleute gibt es schon viel, dieses Buch soll eine Brücke vom alltäglichen Leben zur Forschung und zurück sein.

Es wendet sich an Eltern, Großeltern, Tagesmütter, Patentanten, Freunde und Freundinnen, ErzieherInnen, LehrerInnen – alle, die mit mehrsprachigen Kindern zu tun haben. Für StudentInnen ist es als lockere Einführung in die faszinierende Welt der Multilingualität gedacht.

Viele Sprachen sind hier als Beispiele angeführt. Dadurch ist es einfach, die Inhalte an die eigene Situation anzupassen. Noch viel mehr Sprachen konnten wir nicht aufnehmen, und das gilt auch für das Titelbild. Alle Sprachen sind gleich bedeutend und interessant – nur ist unser Platz leider endlich. Wenn Sie nicht in deutschsprachigen Ländern wohnen, gilt alles, was sich auf Deutsch bezieht, für Ihre Umgebungs- und Schulsprache.

Viel Vergnügen beim Lesen!

Elke Montanari
www.mehrsprachig.info

Worauf kommt es an?

Über das Reden

Sprechen – das tun wir alle, immerzu. Daher sind wir eigentlich alle Experten. Auf der anderen Seite denken wir selten darüber nach, wie wir uns verständigen, wie das andere tun und wie Kinder das erleben. Eltern, die über ihre Sprachen nachdenken und sie bewusst benutzen, öffnen ihren Söhnen und Töchtern die Türen für mehrere Sprachen. Mit Ihrem Entschluss, dieses Buch zu lesen, haben Sie schon die Klinke in der Hand. Treten Sie ein!

Am allerwichtigsten: Wir sprechen gern miteinander

Das Wichtigste beim Reden ist: Gern sollte es geschehen, viel, mit gutem Zuhören. Nur so können Freuden und Ängste mitgeteilt werden, so werde ich neugierig und möchte die Sprache des anderen lernen. Schwierigkeiten können zusammen gemeistert werden. Darum müssen alle technischen Überlegungen zur Mehrsprachigkeit unter dem Motto stehen: Wir fühlen uns wohl damit, wir reden gerne.

Ich spreche mit den Kindern Niederländisch, Vincenzo Italienisch, und wir beide sprechen meistens Italienisch, manchmal auch etwas Deutsch. Es gibt aber keine von uns allen benutzte Sprache. Das war am Anfang nicht so ein Problem, aber jetzt, wo unsere Söhne größer werden und man auch mal ein paar ernstere Gespräche führen möchte, ist es so, dass mein Mann zwar Niederländisch versteht, aber es nur ein bisschen spricht. Er hat genug mit Deutsch und Italienisch. Es fehlt eine gemeinsame Haussprache. Das haben wir im letzten Jahr verstärkt diskutiert.

Ich bin ja in einer zweisprachigen Stadt aufgewachsen, Brüssel. Vielleicht ist deshalb für mich dieses Hin- und Herschalten zwischen zwei Sprachen kein Problem. Mein Mann ist einsprachig aufgewachsen, und ihn belastet das ständige Nebenher mehrerer Sprachen.

Laurette, Frankfurt/M.

Wir verändern uns, die Kinder wachsen. Es kommen neue Freunde, der Kindergarten, die Schule hinzu, die Familie wächst oder wandelt sich. All das beeinflusst unsere Art, miteinander zu sprechen. Was wir heute entschieden haben, kann jetzt genau richtig sein und in ein paar Jahren nicht mehr passen. Deshalb ist es so spannend zu beobachten, wie sich die Mehrsprachigkeit entwickelt: Sie ist immer wieder neu.

Katrin-Jane spricht später, ist aber intelligenter?

Viele Meinungen, Bücher und Doktorarbeiten behandeln die Frage: Entwickeln sich mehrsprachige Kinder anders als einsprachige? Der heutige Stand der Forschung zeigt: Mehrsprachige Kinder sind so unterschiedlich wie einsprachige auch. Sie reden nicht später, wann die ersten Wörter hervorgebracht werden, ist von Kind zu Kind verschieden. Sie sind weder flexibler noch intelligenter, auch wenn ihnen das angedichtet wird. Schwierigkeiten beim Sprechen oder Schreiben haben sie so oft und so selten wie ihre Altersgenossen. Sie sind lebhaft oder ruhig, fröhlich oder bedächtig und leiden nicht an Identitätsstörungen oder Persönlichkeitsverwirrungen.

Sprachenvielfalt gehört zu unserer Wirklichkeit. Sie ist Teil unseres Lebens – oder sollen die Kleinen und ihre Großmutter mit einem Übersetzer spielen? Wollen wir eine später gelernte Sprache zu Hause benutzen oder unsere eigene, vertrauteste? Selten ist es eine freie Entscheidung, wie viele Sprachen wir miteinander reden. Oft ist es einfach nötig.

Die Mehrsprachigkeit war keine Zielsetzung der Familie oder so etwas. Die Familie hat in englischsprachigen Ländern neun Jahre gewohnt, und zufällig war ich zwischen null und neun Jahren alt. Hätten wir in Belgien gewohnt, wäre meine Mehrsprachigkeit nicht entstanden. Es war kein Ziel – mehr ein Ergebnis.

Jean-François, Belgier in Frankfurt/M., spricht Deutsch, Englisch,
Französisch, Spanisch und liest Portugiesisch

Mit mehreren Sprachen aufzuwachsen birgt viele Vorteile – und ist manchmal schwierig. Schauen wir uns das einmal genauer an.

1 + 1= 2 oder: Wann ist jemand zweisprachig?

Kemal ist acht Jahre alt. Er besucht die zweite Klasse. Zu Hause sprechen wir Türkisch und Deutsch, wir sind eine große Familie. Seine Klassenlehrerin findet, er macht im Unterricht sehr gut mit und bei den Hausaufgaben wenige Fehler. Telefonieren mit den Verwandten in Ankara klappt nicht immer, aber auf Türkisch ist er ein toller Witzeerzähler!

Ülkü, Berlin

Wann ist jemand zweisprachig? Darüber streiten sich die Forscher. Es kommt darauf an, wie sie es definieren. Von ein paar gestammelten Wörtern in einer zweiten Sprache bis zu Fähigkeiten, die praktisch zwei Muttersprachler in einer Person vereinen, finden sich alle Schattierungen. Egal für welche Definition ich mich entscheide, die strenge oder die weite: Die meisten Menschen der Welt sind zwei- und mehrsprachig. Einsprachigkeit ist die Ausnahme, und sogar im »einsprachigen« Europa gibt es viele Gegenden, die mehr bieten: Baskisch und Französisch, Katalan und

Spanisch, und über Schwäbisch und Hochdeutsch könnte man diskutieren.

Viel wichtiger ist: Kann ich das ausdrücken, was ich möchte, erreichen, was ich will? Kann mein Kind seinen mehrsprachigen Alltag organisieren? Kommt es im Unterricht gut mit, erledigt die Hausaufgaben? Wie klappt das Gespräch zu Hause? Gibt es gelegentlich Missverständnisse wie überall oder haben wir den Eindruck, wir finden sprachlich nicht zusammen? – Ehrlich gesagt kämpfen mit dieser Schwierigkeit auch einsprachige Eltern und fragen sich, warum ihr pubertierender Teenager so völlig unerreichbar ist. – Hat unsere Tochter Freunde?

Es gibt unendliche viele Abstufungen unter Mehrsprachigen. Es gibt eine alte Idee von Zweisprachigen: Sie seien eine Art Rechenaufgabe $1 + 1 = 2$, nämlich zwei Einsprachige in einer Person. Doch das ist zu simpel, um die Wirklichkeit zu beschreiben. Der »ausgewogene Zweisprachige«, der durch die Fachliteratur geistert, ist eher ein Gespenst als ein lebendiger Mensch. Nur selten beherrscht jemand in Wort und Schrift zwei Sprachen gleich gut. Die meisten Menschen können in verschiedenen Sprachen unterschiedliche Dinge erzählen. Sie entwickeln starke und schwache Sprachen. Manches können sie in einer Sprache besser, anderes in der anderen.

Ob Kemal einmal auf Deutsch und Türkisch lesen und schreiben kann, ob er komplizierten Gesprächen folgen wird, das hängt von den Bedingungen ab, unter denen er lebt. In jedem Fall ist er zweisprachig. Manchmal gibt es fast optimale Voraussetzungen und dementsprechend sind die Erfolge leichter zu erreichen. Andere Situationen sind schwieriger.

Auch wenn er manchmal ein Wort anders verwendet als sein Lehrer: Kemal, der hier die Schule besucht, mit Altersgenossen auf Deutsch spielt und mit der Großmutter auf Türkisch telefoniert, kann weit mehr als viele Erwachsene, die sich mit einer Ausdrucksweise begnügen müssen.

Zusammengefasst

Alle Familienmitglieder sollten gerne miteinander reden und sich mit den Sprachen wohl fühlen. Viele Meinungen über mehrsprachige Kinder stimmen nicht – im Großen und Ganzen entwickeln sie sich wie einsprachige. Sie sind auch nicht zwei Einsprachige in einer Person, sondern drücken verschiedene Dinge in den jeweiligen Sprachen besonders gut aus. Weltweit gesehen sind Mehrsprachige der Normalfall, Einsprachige die Ausnahme.

Warum lernen manche Kinder leichter als andere?

Der Sprachberg

Jede mehrsprachige Situation ist einzigartig. In einigen Fällen sind alle Umstände günstig, in anderen weniger. Genauso als würde einer einen Berg auf einer bequemen Straße ersteigen und der andere mühsam über die Felsen klettern.

Das Mädchen links im Bild auf Seite 18 fährt mit dem Fahrrad eine bequeme Straße: Es hat günstige Bedingungen angetroffen. Noch ist es weiter vom Doppelgipfel entfernt als der Kletterer. Bald wird es jedoch höher sein, denn es kommt schnell voran. Jedoch braucht es eine Straße – hört sie auf, muss das Mädchen zu Fuß weiterlaufen. Dagegen arbeitet sich der Kletterer Zentimeter für Zentimeter voran. Er nimmt eine große Herausforderung an und wir bewundern ihn dafür. Vielleicht ist die Radfahrerin schneller oben, doch der Kletterer kennt das Gelände besser, hat auf seinem Weg jeden Stein berührt.

Wetter
Sprachprestige
Was denken die anderen?
Freundschaften und Reisen
Wie wir leben

Fahrzeug
Wie denkt mein Partner?
Wirklichkeit verändern
Bücher, Kassetten, Spiele

Weg
Trennen
Alter
Unsere gemeinsame Zeit
Meine Sprache
Unsere Unterhaltungen
Sich nah sein

Mit vielen Sprachen groß werden:
Das ist wie ein Aufstieg auf einen Berg. Viele Faktoren spielen eine Rolle.

Doch nicht nur die Startbedingungen und Wege sind für jeden anders. Auch das Wetter ändert sich. Bei Sonne ist der Aufstieg leicht, bei Regen ist es glatt, bei Nebel sieht man die nächste Kurve nicht. Bei Glatteis kann man sogar wieder herunterrutschen. Der Wind kann vom Rücken her schieben oder als eisige Brise ins Gesicht wehen.

Das Wetter, der Weg und das Fahrzeug stehen für die unterschiedlichen Bedingungen, die wir und unsere Kinder antreffen. Einige betreffen das Sprechen selbst – wie wir sprechen, wie lange, welche Sprache und Ähnliches. Andere betreffen den Umgang miteinander.

Welchen Einfluss hat das Umfeld?

Das Wetter

Heiter oder bewölkt

Wie bei einer Wettervorhersage können wir schon vorher vermuten, wie trocken oder regnerisch der nächste Tag sein wird – ob unser Kind bei Sonne gut mit dem Aufstieg vorankommt oder ob es mit Regen und Glätte rechnen muss. Und wie bei der Vorhersage erleben wir immer wieder Überraschungen. Schauen wir uns einmal die fünf Wetterbedingungen an:

Sprachprestige

Ein hohes Prestige bedeutet: Im Kindergarten, auf der Straße, im Geschäft staunen alle, wie gut es dieses Kind hat, so früh schon eine so wichtige Fähigkeit zu erwerben. Heute gilt Englisch als rundum positiv – für die Karriere, es ist *in*, Musik, Hamburger, Handys, alles ist auf Englisch. Das ist nicht überall gleich – in anderen Teilen der Welt ist Arabisch die am höchsten geschätzte

Sprache. Alle Prestigeobjekte ändern ihren Wert mit der Zeit und dem Ort. Im vorigen Jahrhundert galt Französisch in Mitteleuropa als die feinste Ausdrucksweise. Ein hohes Prestige ist wie ein heiteres, trockenes Wetter, der Aufstieg geht gut voran.

Wird dagegen die Sprache wenig geschätzt, begegnen Zweifel und Skepsis auf Schritt und Tritt. Als Erfolg wird dargestellt, wenn »die zweite Sprache nicht stört«. Fortschritte bleiben unbeachtet, selten bewundert. Zweifelnde Fragen wie »Was soll der Kleine denn mit ...?« verunsichern. Bei einem niedrigen Prestige ist das Wetter nicht so günstig, vielleicht ist der Himmel verhangen oder es regnet.

Selbstverständlich sind alle Sprachen gleichwertig. Doch die Umgebung sieht das häufig nicht so. Prestige ist ein Vorurteil, aber niemand ist frei von Vorurteilen. Der Effekt ist wie ein Echo auf unsere Mehrsprachigkeit. Kinder bemerken dieses Echo. Sie werden dadurch beflügelt oder gebremst. Daher ist es viel leichter, Englisch in Deutschland zu lernen als Urdu oder Rumänisch.

Benim üzerinde önemle durduğum konu, sadece kızımın Türkçe öğrenip Türkiye'deki ailemle rahat anlaşabilmesi değil kuşkusuz. Bunun kadar önemli olan bir diğer nokta daha var ki; işte o biraz geneli ilgilendiriyor. O da şu: Türkiye, bugün olmasa bile yarın, yakın bir gelecekte AB'ye tam üye olacak ve dolayısıyla da Topluluğun resmi diller ailesine Türkçe de girecek. Bana göre, bu gerçeğin gözönünde tutularak, Türkçe'nin burada da kollanıp beslenmesi gerekir.

Das Thema, auf dem ich beharre, ist nicht nur, dass meine Tochter Türkisch lernt und sich mit meiner Familie in der Türkei ohne Probleme verständigen könnte. Es gibt noch einen ebenso wichtigen Punkt, der betrifft die Allgemeinheit. Die Türkei wird früher oder später in einer nahen Zukunft ein Vollmitglied der EU und dadurch wird auch das Türkische eine weitere offizielle Sprache der Gemeinschaft. Meiner Ansicht nach muss das Türkische unter diesem Gesichtspunkt

Hatta Avrupa'nın bir avantajı var; o da bugün bu kıtada kökeni Türkiye'den olan 3,5 milyona yakın insanın yaşamasi. Onların burada doğup büyüyen çocuklarının, her ne kadar halen yaşadıkları ülkelerin dilini anadil gibi iyi kullanıyorsa da, Türkçe'ye yatkın olmaları, köken bilgiye sahip olmaları, aslında iyi avantaj. Bu dilin gelecekteki Türkiye AB ilişkileri gözönüne alınarak desteklenmesi gerekir.

O ülkelerle Batının her alandaki işbirliğinde, burada doğup büyümüş Türk gençleri önemli bir köprü görevi üstlenebilir. Bütün bu çıkarları gözönüne alarak, Türkçe'nin AB içinde gelişmesine zemin hazırlanmalıdır.

geschützt und gefördert werden. Europa hat einen Vorteil; auf diesem Kontinent leben ca. 3,5 Millionen Menschen, die aus der Türkei stammen. Wenn auch deren Kinder, die hier geboren sind und aufwachsen, die Sprache des Landes, in dem sie leben, zwar so gut wie ihre Muttersprache beherrschen, ist es ein Vorteil, wenn sie für das Türkische ein Gehör haben und sich ihrer ethnischen und kulturellen Identität bewusst sind. Diese Sprache sollte in Anbetracht der zukünftigen Beziehungen zwischen der Türkei und der EU gefördert werden. In allen Bereichen der Zusammenarbeit des Westens mit diesen Ländern könnten die jungen Türken, die hier aufgewachsen sind, eine bedeutende Vermittlungsaufgabe übernehmen. In Anbetracht all dieser Interessen muss ein günstiger Boden für die Entwicklung des Türkischen in der EU bereitet werden.

Mehmet C., Langen[1]

Wir können gemeinsam darüber sprechen und den Kindern von klein auf zeigen, dass wir alle Sprachen gleich schätzen. Vielleicht stehen unsere Kinder einmal über diesen Dingen. Wenn möglich besuchen wir Umgebungen, in denen unserer Sprache ein hohes Prestige zugeschrieben wird – also im besten Fall ein Land, in dem sie offiziell gebraucht wird. Auch Kulturvereine, Feste oder Treffen sind gute Möglichkeiten. Es tut allen gut zu erleben, wie relativ und kurzlebig diese Wertzuschreibungen sind.

Was denken die anderen?

Die Einstellung der Menschen, die das Kind um sich hat, ist wie der Wind: Sind sich alle einig, dann hilft der Rückenwind. Ob Lehrer, Erzieherinnen, Tagesmütter oder Freunde – eine Umgebung, die Mehrsprachigkeit begrüßt, lobt und bewundert unser Kind und unterstützt es auf diese Weise. Immer wieder treffe ich in meinen Veranstaltungen Großmütter und -väter. Das Enkelchen wächst bilingual auf und nun möchten sie sich informieren, haben Fragen, manchmal sind sie die treibende Kraft. Ich freue mich über ihr Kommen, es zeigt ihr Interesse. Ihr Mitwirken ist ein Ansporn, eine Chance für alle.

Werden dagegen oft Zweifel geäußert und herrscht die Einstellung vor, ein Mensch sollte nur eine Sprache lernen, so bläst dem Kind der Wind ins Gesicht. Diskussionen und Streits können wie Orkane alles durcheinander wirbeln.

Freundschaften und Reisen

Zwar sind wir am Anfang für unseren Nachwuchs die Größten, aber das ändert sich leider. Eine Sprache zu lernen, nur um sie mit Mama oder Papa zu sprechen – die vielleicht ohnehin die Umgebungssprache verstehen –, dafür sind wir Eltern auf Dauer nicht interessant genug für einen Heranwachsenden. Kinder untereinander können sich ganz anders motivieren. Beim Spielen mit Freunden kann man endlich mit der Sprache auch etwas richtig Sinnvolles anfangen, ein ordentliches Fußballmatch zum Beispiel oder zusammen den Pferdestall ausmisten: »Ah, ich kann ja auf Französisch spielen! Wie sagt man ›Torwart‹?« Dabei gibt es noch ein zweites Aha-Erlebnis: »Die reden ja auch so ...« Was vorher die Ausnahme war, ist in diesem Kreis die Regel, der Normfall.

Kontakt mit *peers,* mit Spielgefährten, heißt das Zauberwort in multilingualer Wissenschaftssprache. Deshalb sind Cousins oft ausgezeichnete Lehrer. In vielen Städten haben sich Eltern in englischen oder französischen Spielgruppen organisiert. Außerhalb von Gruppen ist es häufig nicht einfach, die Kinder zum Sprechen einer anderen Sprache als Deutsch zu bewegen.

Auch Großeltern, faszinierende Tanten und Onkel oder Freunde können diese stimulierende Wirkung ausüben, obwohl sie natürlich nicht gleich alt sind. Je mehr Freundschaften und schöne Erlebnisse der Sohn oder die Tochter mit der Sprache verbindet, umso mehr werden sie sie mögen.

Reisen ermöglichen eine Fülle von Erlebnissen, die mit und durch die Sprache geschehen. All diese Erfahrungen bewirken, dass das Kind eine Liebe zu ihr entwickeln kann, dass sie ihm wichtig wird.

Freundschaften, Kontakte und Reisen sind nicht für alle Sprachen gleich gut möglich. Innerhalb von Europa ist das Reisen meist einfach, in andere Länder kann es zu einem unüberwindlichen Problem werden. Spielgruppen in Englisch oder Französisch gibt es häufig, in anderen Sprachen selten.

Jede Freundschaft, jeder Kontakt ist wie ein Sonnenstrahl. Er lässt alles schöner aussehen, auch wenn es manchmal nur für kurze Zeit ist.

Wie wir leben

Wie offen ist unser Kind heute für etwas Neues? Das hängt von seiner allgemeinen Lebenssituation ab. Oft nehmen wir Eltern sie nicht wahr, weil wir selbst davon umgeben sind. Kommt gerade ein Geschwisterchen? Steht ein Wechsel bevor, der alle beschäftigt? Machen wir uns Gedanken über die Aufenthaltserlaubnis, den Arbeitsvertrag, eine Kündigung der Wohnung? Steht eine Trennung an? Dann muss unsere Tochter erst diese Aufregungen bewältigen, bevor sie sich wieder der Sprache widmen kann. Vielleicht bemerken wir Stillstände oder Rückschritte. Sie zeigen uns, wie sehr die Sprachentwicklung mit dem ganzen heranwachsenden Menschen verknüpft ist.

So verschieden wir sind, so unterschiedlich sind oft Geschwister – obwohl sie vermeintlich in derselben Lebenssituation leben. Mein erster Sohn Valerio spricht schnell, sein Bruder Alessio spricht selten und wenig, aber das korrekt, nur mit Akzent. Wie das? Sie sind doch Brüder. Ist denn nicht alles gleich? Nein, ihre Persönlichkeiten sind andere, und die Geschwisterkonstellation beeinflusst sie auch. Ein Zweitgeborener wie Alessio erlebt von Anfang an, dass Kinder zweisprachig sind – es ist ja schon eines da.

Wie wir leben, das ist am ehesten mit den Jahreszeiten zu vergleichen. Befinden wir uns gerade im Herbst oder im Winter? Der Frühling wird folgen, doch im Moment ist es kalt, vielleicht feucht, die Tage sind kürzer. Oder genießen wir gerade einen warmen Sommertag?

Wetter – das ist alles zusammen

Wie Wind, Wolken und vieles mehr aufeinander wirken, das macht den sonnigen oder regnerischen Tag aus. Das ist beim Sprachberg genauso. Im Zusammenspiel schaffen Prestige, das Denken der anderen, unser Leben sowie Freundschaften und Reisen das Klima.

Das Wetter steht also für unsere Umgebung. Doch wie verhalten wir uns innerhalb der Familie? Wie wir miteinander umgehen, können wir uns als den Weg und das Fahrzeug vorstellen.

Wie wichtig ist die Familie?

Der Weg

Trennen

Eine gute Trennung der Sprachen ist wie ein genau beschilderter Weg. Es ist leichter, sich zu orientieren.

Die Wissenschaftlerin Dr. Susanne Mahlstedt hat deutsch-italienische Paare befragt und untersucht, warum einige Eltern viel, andere wenig Erfolg mit der Zweisprachigkeit der Söhne und Töchter erlebten. Ihrer Meinung nach haben die erfolgreichsten Familien die Regeln »eine Person – eine Sprache« oder »Familiensprache – Umgebungssprache« benutzt und sich bemüht, die Sprachen klar voneinander abzugrenzen.

In Deutschland wird Mischen von Sprachen oft als ungünstig bewertet: »Der kann weder das eine noch das andere!« Wenn daher die Eltern wenig mischen und sich um Trennung der Sprachen bemühen, geben sie ein sinnvolles Vorbild. Die meisten Kinder halten dann von sich aus auch die Sprachen auseinander.

Mehr darüber, nach welchen Regeln Sie trennen können, finden Sie in dem Kapitel »Wer redet wie?«.

In welchem Alter beginne ich?

Habe ich schon im Mutterleib beide Sprachen gehört? Oder tritt die zweite, dritte Sprache erst in späteren Jahren in mein Leben? Mit drei? Mit vier? Danach? Nicht alles lernen jüngere Kinder schneller und einfacher, aber sie lernen anders als größere. Die perfekte Aussprache können viele Menschen nur bis zum Alter von etwa sechs Jahren erlernen.

Unsere gemeinsame Zeit

Ein breiter Weg, in dem wir mal in der Mitte, mal am Rand laufen können – das sind Gespräche, bei denen Zeit genug vorhanden ist.

Reden wir viel miteinander? Sind wir viel mit den Kindern zusammen? Arbeiten wir vielleicht sogar zu Hause? Sind wir beide oft unterwegs, sehen die Kurzen selten, am Abend, wenn alle müde sind?

Je mehr wir zusammen unternehmen können und je mehr wir dabei reden, umso besser. Der Faktor Zeit spielt eine große Rolle. Das ist schwerer für die Partner, die tagsüber außer Haus sind. Oft sind das die berufstätigen Väter.

Luisa ist jetzt ein Jahr und neun Monate alt. Sie spricht schon ganz gut auf Deutsch, sagt Wörter, wiederholt oder bringt Puppen, Teller, Becher, wenn ich sie darum bitte. Mit ihrem Vater schaukelt sie abends für ihr Leben gern, aber bisher war ihr einziges Wort in der Vatersprache Italienisch »ciao« (*tsau!*).

Elke Montanari

Auch wenn Luisa auf Italienisch viel weniger herausbringt als auf Deutsch und selten reagiert: Das sagt nichts darüber aus, ob sie diese Sprache besser oder schlechter lernt. Spracherwerb ist dynamisch, das heißt die Kinder sind immer auf dem Weg. Wo sie heute stehen, ist nicht sehr bedeutend. Wichtiger ist, wie verläuft der Aufstieg? Lernt Luisa dazu? Wir wollen, dass sie als Jugendliche, als Erwachsene beide Sprachen spricht. In welcher sie ihre ersten Wörter gesagt hat, weiß dann keiner mehr. Es sagt nichts darüber aus, welche Sprache sie später besser beherrscht.

Kinder, die früh reden, tun das in der Schulzeit nicht unbedingt besser. Ein klassisches Beispiel für eine späte Blüte ist Albert Einstein. Er sprach erst mit sechs Jahren! In Mathematik hatte er in der Schule gerade mal ein »ausreichend«. Später bekam er den Nobelpreis für Physik.

Was tun, wenn ich selten mit meinen Kindern zusammen
sein kann?

Wir gleichen das aus und nutzen die gemeinsamen Momente besonders gut. Bei uns genießen alle die tägliche Gute-Nacht-
Geschichte, und sie ist ein wunderbares und einfaches Mittel,
bringt enorme Fortschritte auf vielen sprachlichen Ebenen. Am
Wochenende holen wir auf, was in der Woche liegen geblieben
ist. Wir führen Gespräche, für die es zwischen Montag und Frei-
tag keine Gelegenheit gab.

Immer in Eile? Es gibt eine große Chance: Quantität ist nicht
Qualität. Die Rechnung »doppelte Zeit = doppelt so viel Sprache« stimmt nicht. Auf die Qualität kommt es an, und zwar gleich
unter mehreren Gesichtspunkten.

Meine Sprache

Wie sprechen wir selbst? Je besser unser Angebot ist, desto leichter kann unser Kind davon lernen. Darum lesen wir viel, pflegen
unsere Sprache. Wir reden mit anderen und tun dabei etwas für
unseren guten Ausdruck.

Ausführlich beschreibe ich das im Abschnitt »Lernen = Angebot plus Gefühl« (Seite 97f.).

Unsere Unterhaltungen

Das Drumherum beim Reden ist bedeutsam. Die besten Gelegenheiten, um eine Sprache kennen zu lernen, bieten ruhige Unterhaltungen. Wenn jeder etwas sagen kann, nachfragen darf, wenn
wir uns zuhören, dann gewinnen wir alle. Eine Viertelstunde pro
Tag, in der wir uns austauschen, ist dann genauso wichtig wie drei
Stunden auf dem Spielplatz.

Mit meinen drei Kindern vergeht manchmal ein ganzer Tag, und abends merke ich, dass ich mit einem noch gar nicht richtig geredet habe. Vor dem Schlafengehen bleibe ich mit jedem noch eine Viertelstunde allein. Wir lesen ein Buch, sprechen über den Tag oder liegen leise nebeneinander. Dann wird das Licht ausgemacht. Die Kinder freuen sich darauf – und ich auch. Wir sind noch einmal ganz nah beisammen und unterhalten uns manchmal intensiver, als es im täglichen Ablauf zuweilen Platz hat.

Maria, Linz

Nähe

Nähe ist ein Schlüssel für alle Türen. Wenn mein Mann mit unserer Tochter schaukelt und ihr etwas erzählt oder singt, tut er viel für ihre Sprache. Sie hört die Laute, die Melodie und fühlt sich dabei wohl.

Je näher wir uns fühlen, umso sicherer bieten wir unserem Kind das Richtige an, und es kann sich das Beste nehmen. Darum ist gemeinsames Kuscheln eine wunderbare Sprachförderung, genauso wie Spielen, Schaukeln, Necken.

Einen guten Pfad, befestigt und trittsicher, ohne Geröll – den garantieren meine Sprache, unsere Unterhaltungen und Nähe zwischen uns und unserem Kind.

Das Fahrzeug

Wie denkt mein Partner?

Einer tritt, der andere bremst – oder schiebt mit. Man kann sich »den Mund fusselig reden«: Wenn der Partner gegensteuert, ob bewusst oder nicht, werden beide nicht weit kommen. Unterschiedliche Meinungen gehören zum Alltag. Am besten suchen wir Lösungen, mit denen beide leben können.

Wir selbst sind nicht frei von Vorurteilen. Ich glaube, es strengt alle an zu erkennen, dass tatsächlich alle Sprachen so schön, nützlich und wertvoll sind wie die Shakespeares. Andere Kulturen erscheinen uns manchmal fremd, unverständlich und vielleicht sogar unpraktisch. Wenn wir jedoch wollen, dass in unserer Familie beide Sprachen wichtig sind, müssen wir auch beide Kulturen annehmen, mit allen Widersprüchen. Können wir das nicht, dann ist es wie ein Fahrrad, auf dem einer tritt und ein anderer auf dem Gepäckträger mit den Füßen auf der Straße bremst: Alle strengen sich furchtbar an, aber kommen nicht voran. Auch Großeltern und Tagesmütter können bremsen oder anschieben!

Ich habe Familien getroffen, in denen wir beim zweiten Hinschauen so etwas bemerkt haben. Als sie begannen, darüber nachzudenken und ehrlich miteinander zu sprechen, waren sie bald sehr erleichtert. Sie selbst fühlten sich besser und auf einmal bekam die Entwicklung der Tochter oder des Sohnes Auftrieb. Ihr Zusammenhalt ist die größte Kraft.

Wirklichkeit verändern

»Das ist, als fiele in China ein Sack Reis um ...«, lautet eine deutsche Redensart für etwas, das hier und heute wenig Bedeutung hat. Wenn Kinder mit der zweiten Sprache ihre Wirklichkeit verändern können, erleben sie ihren Sinn. Das passiert im Spiel, im Gespräch, am besten auch im Kindergarten. »Ich erhalte eine Antwort, ein Lob, den gewünschten Keks, bin der Feuerwehrmann oder die Prinzessin«, stellen sie fest. Dann macht es Spaß, zweisprachig zu sein.

Scheint dagegen die zweite Sprache nutzlos, geht es wunderbar auch ohne – warum sollte ich sie benutzen? Kinder verlieren den Mut und die Lust, wenn sie etwas lernen sollen, mit dem sie anscheinend nichts erreichen können.

Die Aussicht auf ein interessantes Studium ist dabei für einen Dreijährigen noch wenig verlockend, sie und er leben im Hier und Jetzt. Die eigene Wirklichkeit verändern, darauf kommt es an. Einfluss nehmen, ein Spiel bestimmen, eine Antwort oder etwas zu trinken erhalten, eine Rolle übernehmen und Astronautin sein, dann beeinflusst die zweite Sprache das Dasein. Das ist eng mit Menschen verknüpft; spielen mit – Freunden, dem Papa; reden mit – Oma, Cousinen, Tanten. Für uns liegt darin eine Chance: Wir können jeden Tag eine Situation bauen, in der die zweite Sprache Wirklichkeit verändert. Bei einer Reise ist das besonders leicht möglich.

Sinn haben – das sind bei unserem Aufstieg auf den Sprachberg das Auto, das Fahrrad oder die Kletterschuhe. Erlebt Beniamino Piccolino, wie er sich selbst ein Eis auf Italienisch kaufen kann, wie er mit der Oma reden kann, die das Deutsche nicht kennt, wie Papa dann besonders gern reagiert, dann fährt er, bildlich gesprochen, an diesem Tag auf einem schnellen Fahrrad bergauf oder kann sogar im Auto sitzen.

Bücher, Kassetten, Spiele

Können wir Bücher, Kassetten, Spiele oder Filme in unserer Sprache erhalten oder hoffen wir auf Päckchen von Freunden oder Verwandten?

Während engagierte Buchhändler *Peter Pan* und *Pinocchio* in der Originalsprache beschaffen, sind schon Bücher des Nachbarlandes Polen praktisch unauffindbar. Je mehr Bücher, Spiele und Kassetten wir finden, desto mehr Spaß macht unseren Kleinen und Großen das Lesen, desto lustiger und aufregender wird das Spiel. Viele Stadtbüchereien haben ihr Angebot deutlich ausgebaut. Bücher in Türkisch, Arabisch, Italienisch und Spanisch gehören oft genauso zum Standard wie in Englisch und Deutsch. Andere Sprachen sind noch wenig vertreten. Bücher sind ein exzellentes und einfaches Mittel zum Lernen. Wer faktisch darauf verzichtet oder verzichten muss, fährt sein Auto oder sein Fahrrad in einem ungünstigen Gang: Man muss viel treten und kommt nicht so schnell voran.

Was ist denn nun am Wichtigsten?

Alles; das Zusammenspiel entscheidet. Hürden können überwunden werden, eine glatte Straße ist ein bequemer Start, aber sie kann auch in einen Feldweg münden. Selbst in einem schönen Auto komme ich bei dichtem Nebel nur langsam vorwärts. Der Kletterer kann nach der nächsten Kurve auf einen breiten Weg stoßen, der ihn zum Doppelgipfel führt.

Was bei uns nicht so günstig ist, können wir mit etwas anderem ausgleichen. Verwenden wir zum Beispiel eine eher unbekannte Sprache, so hat sie wenig Prestige. Hier haben wir es also schwieriger als andere. Vielleicht verbringen wir zum Ausgleich besonders viel Zeit gemeinsam. Dann kommen wir trotzdem gut voran.

Unser Ziel

Jetzt kennen wir die Chancen und die Schwierigkeiten, die geraden Strecken und die felsigen Abschnitte auf unserem Weg zum Sprachgipfel. Nun können wir etwas sehr Wichtiges für unsere Zufriedenheit tun: Wir können uns unser eigenes realistisches Ziel setzen.

Ein Vater erzählte in einem Seminar:
Ich komme aus dem Iran, nahe der türkischen Grenze, und meine Muttersprache ist Aserbeidschan. Es ist anders als Farsi, die Sprache im Iran, eher so wie Türkisch.

Meine Frau ist Deutsche und wir haben ein Baby. Ich möchte gern, dass es später auch mit der Oma und den Tanten Kontakt haben kann. Meine Frau versteht kein Aserbeidschan, ich kenne auch niemanden hier, mit dem ich das benutze, ich bin der Einzige hier. Mit allen Freunden rede ich Farsi. Aus politischen Gründen können wir nicht in den Iran reisen und ich kann keine Bücher beschaffen. Meinen Sie, das schaffen wir?

Ich finde es genauso wichtig wie der Vater, dass das Enkelchen mit der Oma reden kann. Die Ausgangssituation ist eher schwierig: Der Vater ist weit und breit der einzige Sprecher, sie können nicht in das Land fahren, es gibt keine Bücher, keine aserbeidschanischen Freundschaften, es ist in Deutschland eine vielen unbekannte Sprache und erfährt daher ein geringes Prestige. Wir haben besprochen, wie steinig der Weg für seinen Sohn ist. Ich glaube, er kann jetzt die Schritte des Kindes besser verstehen, es ist in der Tat eine Meile und mehr, wenn sein Sohn einem kurzen Gespräch folgen kann, selbst wenn er auf Deutsch antworten will. Ein erreichbares Ziel ist hier, dass der Junge an einfachen Unterhaltungen teilnehmen kann und vor allem: neugierig auf die Kultur und Sprache seines Vaters bleibt!

Zusammengefasst

Wir vergleichen Autofahrer mit Kletterern, wenn wir alle Kinder mit dem gleichen Maß messen wollen. Aussagekräftiger sind Fortschritte des einzelnen Menschen. Welche Entwicklung durchläuft er? Was hat sich verändert, was ist gleich geblieben? Kann ich Linien, Tendenzen erkennen? Was bedeuten diese Fortschritte, ist es viel oder wenig?

Immer wieder treffe ich Mütter oder Väter, die tief drinnen traurig und entmutigt sind. Sie wollen den Kopf nicht hängen lassen, aber nach ein paar Stunden kommt heraus: »Sina kann nur ... sie versteht nie, dass ...« Sie haben mehr erwartet. Wenn wir uns dann ihre Situation anschauen, merken sie erst, was ihre Tochter vollbracht hat! Sie gehen froh nach Hause, denn jetzt sehen sie, was das Mädchen geschafft hat. Deshalb finde ich diese Faktoren so wichtig. Erst wenn wir die Ausgangssituation verstehen, begreifen wir die erklommene Strecke ganz und freuen uns über Erfolge.

Wie sind typische Mehr-sprachige?

Einige von ihnen verdienen sehr gut, andere verlassen ihr Land, weil sie keine Arbeit finden. Es sind Akademiker ebenso wie Menschen, die wenig Gelegenheit zum Schulbesuch hatten und ungern schreiben. Manche kommen aus freiem Willen, andere verlassen ihre Heimat unter Zwang. Typische Mehrsprachige gibt es nicht. Daher gehen sie auch ganz unterschiedlich mit ihrem sprachlichen Reichtum um.

Acht Gruppen: Welcher Typ sind wir?

Vielleicht kennen Sie selbst schon Paare und Familien, bei denen Sie gedacht haben: »Die machen es im Prinzip genauso wie wir, nur mit anderen Kombinationen.« Andere gehen ganz anders vor. Die Linguistikprofessorin Suzanne Romaine hat sechs Gruppen oder Typen beschrieben.[2] Zwei weitere habe ich hinzugefügt. Erkennen Sie sich wieder?

▲ **Eine Person – eine Sprache; eine davon Deutsch**

John aus Birmingham und Anna aus Hamburg wohnen in München. John wendet sich auf Englisch, Anna auf Deutsch an ihr Töchterchen. Beide verstehen den Partner recht gut.

Jeder Elternteil spricht seine Sprache mit dem Kind. Eine davon ist Deutsch[3]. Beide verstehen, was der Partner sagt.

▲ **Ein Elternteil ist deutschsprachig, einer nicht; zu Hause Nichtumgebungssprache**

Jean aus Bordeaux und Katja wohnen in ihrer Geburtsstadt Dortmund. Mit Claude (zwei Jahre) reden beide Französisch.

Vater und Mutter sind mit unterschiedlichen Sprachen groß geworden. Einer mit Deutsch, der andere mit einer anderen. Zu Hause benutzen sie die Nichtumgebungssprache.

▲ **Zu Hause kein Deutsch**

Shirin und ihr Mann kommen aus dem Iran. Zu Hause geschieht alles auf Farsi.

Beide Eltern sind mit der gleichen Sprache aufgewachsen. Diese verwenden sie auch mit den Kindern.

▲ **Zwei Sprachen zu Hause, Deutsch draußen**

Laurette ist mit Niederländisch groß geworden, Vincenzo mit dem Italienisch der Toskana. Jetzt leben sie in Deutschland. Am Frühstückstisch sprechen sie Niederländisch und Italienisch mit ihren drei Jungs.

Mutter und Vater wenden sich in verschiedenen Sprachen an die Kinder. Die Umgebung redet wieder in einer anderen. Die Familie lebt mit drei Sprachen.

▲ **Fremdsprache**

Meine Freundin Rosi und ihr Mann Rolf sind in Schwaben aufgewachsen. Rolf hat einige Jahre in England gelebt und verwendet diese Sprache mit Lukas und Nico (acht und sechs Jahre). Rosi spricht Hochdeutsch – und manchmal Schwäbisch.

Ein Partner wendet sich in einer Sprache an das Kind, die er selbst erst später gelernt hat. Der andere Elternteil spricht Deutsch.

▲ **Mix**

In Danielles Familie redet jeder, wie ihm »der Schnabel gewachsen ist«. Französisch, Italienisch, Arabisch – alles ist erlaubt.

Die Eltern schalten hin und her, die Sprachen werden im Wechsel benutzt.

Prof. Romaine glaubt, dass das weltweit die häufigste Form ist, mehrere Sprachen zu verwenden.

▲ **Zweite Sprache in Kita oder Schule**

Lion besucht eine deutsch-italienische Klasse. Seine Eltern kommen aus Berlin und Rheinland-Pfalz.

Maurizios Vater kommt aus Italien, seine Mutter aus Frankfurt. Jetzt geht er mit Lion in die gleiche Klasse.

In Schulen, Kindertagesstätten, Krippen oder anderen Einrichtungen lernen Kinder eine zweite oder dritte Sprache.

Diese Kategorie habe ich hinzugefügt.[4]

▲ **Andere**

Es gibt noch viele andere Muster, wie mehrere Sprachen benutzt werden. Vielleicht passen Sie nicht genau in eine der sieben Gruppen. Diese Einteilungen sind Annäherungen an die Wirklichkeit. Es gibt viele Menschen, die auch bei großzügiger Auslegung nicht in diese Kategorien passen.

So vielfältig ist Mehrsprachigkeit!

Mir gefällt diese Einteilung vor allem deshalb sehr gut, weil sie die Personen und ihr Verhalten beobachtet. »Wie benutzen die Menschen ihre Sprachen?« ist die Leitfrage und nicht, wie auch denkbar, »Wer kommt woher?« oder Ähnliches.

Gibt es leichtere und schwerere Sprachkombinationen?

Ist es leichter, zwei ähnliche oder zwei unterschiedliche Sprachen zu lernen? Das kann bisher noch niemand beantworten. Bei eng verwandten Sprachen wie zum Beispiel Niederländisch und Deutsch kann sehr leicht von einem Wort, einer Struktur auf die andere geschlossen werden. Das hilft, aber erschwert auch, die »falschen Freunde« häufen sich, die Einzelfälle sind nur fast gleich. Spätestens beim Schreiben zeigt sich das sehr deutlich. Es ist wie beim Fußball: Fast getroffen ist trotzdem daneben, und »brood« ist eben nicht »Brot«.

Bei sehr unterschiedlichen Sprachen wie z.B. Finnisch und Englisch sind diese Fehler selten zu erwarten. Dafür muss jeder Schritt einzeln getan werden, es gibt wenige Parallelen oder »Eselsbrücken«.

 Zusammengefasst

So unterschiedlich wie mehrsprachige Menschen sind, so verschieden ist ihr Umgang mit ihrem sprachlichen Reichtum. Welcher Typ sind wir?

▲ Eine Person – eine Sprache; eine davon Deutsch
▲ Ein Elternteil ist deutschsprachig, einer nicht. Familiensprache ist die Nichtumgebungssprache.
▲ Zu Hause kein Deutsch
▲ Zwei Sprachen zu Haus, Deutsch draußen
▲ Fremdsprache
▲ Mix
▲ Zweite Sprache in Kita oder Schule
▲ Andere

Kinder mit besonderen Bedürfnissen

Bei vielen Kindern sind Eltern und Ärzte unsicherer als gewöhnlich: bei gehörlosen und gehörschwachen Kindern, Kleinen mit Syndromen oder Menschen, für die aus irgendwelchen Gründen das Sprechenlernen eine besondere Aufgabe ist. Es würde sich lohnen, ein ganzes Buch nur über sie zu schreiben. Dieser Abschnitt soll ein Anfang sein, einige Ideen geben.

Wir haben zwei Söhne, Alexander (fast drei Jahre) und Christian (18 Monate). Christian ertaubte nach einer Meningitis im Alter von sechs Monaten, hat jetzt zwei Cochlea-Implantate, und wir haben uns ganz klar für eine lautsprachliche Erziehung bei ihm entschieden.

Zu allem Überfluss haben wir auch unsere Pläne nicht aufgegeben, ihn mit *zwei* Lautsprachen (Deutsch/Englisch) zu erziehen. Wie auch der große Bruder ist er im englischen Kindergarten angemeldet. Erstes Sprachverständnis auf Deutsch hat er, und er spricht vier Wörter.

Mit Alexander sprechen wir überwiegend Englisch, so dass Christian zwangsläufig auch diese Sprache »am Rande« mitbekommt.

Sabine, Köln

Auch Kinder mit besonderen Bedürfnissen leben in mehrsprachigen Situationen, so verschieden sie auch sind. Ist für sie alles anders?

Es gibt eine Menge von Argumenten *dafür*, auch sie mehrsprachig aufwachsen zu lassen:

● Sie brauchen die Zuneigung und die Verbindung zu *allen* Familienmitgliedern.
● Für uns Eltern ist es leichter, eine Beziehung zu dem Kind aufzubauen, wenn wir in unserer Lieblings- und Herzenssprache reden, schmusen und kuscheln können.
● Viele Kinderverse und Albernheiten kennen wir nur aus den ersten Jahren unserer Kindheit. Oft sind diese Erlebnisse an eine Sprache gebunden. Das können wir unserem Baby nur in dieser Sprache geben.
● Wir wollen unser Kind nicht von einem Teil der Familie ausschließen, weil es ihre Sprache nicht teilt. Sonst kann es nicht mit seinen Großeltern reden, seinen Cousins.
● Zweisprachigkeit gehört zu unserer Lebenswelt. Unser Kind kann an vielen Erlebnissen nicht teilnehmen, wenn es nur eine Sprache lernt.

Dagegen spricht meist nur ein Argument: die Sorge, das Kind zu überfordern.

Ehrlicherweise muss man feststellen, dass es nur sehr wenige wissenschaftliche Untersuchungen zu mehrsprachigen Kindern mit besonderen Bedürfnissen gibt. Das wird auch Ihr Kinderarzt zugeben. Es gibt keine systematische Forschung über mehrsprachige behinderte Kinder, dagegen viele Vermutungen. Deshalb kann im Grunde niemand genau sagen, was besser und was schlechter ist.

Einer kann uns jedoch wertvolle Hinweise geben: unser Kind selbst. Wenn wir es beobachten, stellen wir fest, was es gut aufnehmen kann. Wir können die Vorteile abwägen und prüfen: Ist es überfordert oder gewinnt es?

Wir helfen unserem Kind, wenn wir unsere Sprache ein bisschen vorbereiten, sozusagen in mundfertige Portionen teilen – die sind leichter zu essen. Wir suchen uns einfache Regeln und bleiben dabei:

- Wir trennen die Sprachen möglichst gut in eine Mamasprache und eine Papasprache nach der 1:1-Regel oder der Aufteilung Familiensprache – Umgebungssprache. (Mehr dazu ab Seite 42ff.)
- Wir vertrauen unserem Gefühl, wenn wir mit unserem Baby reden. An Kleine wenden wir uns automatisch mit höherer Stimme, singen fast, wiederholen Wörter. Ganz nach dem Gefühl bieten wir den Kleinen das an, was sie am besten aufnehmen können. Mehr dazu steht im Abschnitt »Wie wir uns an Babys wenden« (Seite 82ff.).
- Wir reden immer wieder über das Gleiche und benutzen dieselben Wörter – wir wiederholen, bis unser Kind es gelernt hat, dann gehen wir weiter.
- Gebärdensprache ist eine Sprache wie andere. Wenn Kinder wenig hören, entwickeln sie oft ihre eigene Weise, sich mit Zeichen zu verständigen. Leider versteht das immer nur die eigene Familie. Mit Gebärdensprache kann unser Kind dagegen mit vielen Menschen in Kontakt kommen. Es kann sich geistig besser weiterentwickeln. Deshalb lohnt es sich immer, über Gebärdensprache nachzudenken. Ein Kind, das Laut- und Gebärdensprache beherrscht, ist auch bilingual.
- Wenn wir eine Logopädin finden, die offen ist für Zweisprachigkeit, dann haben wir eine Menge gewonnen.

Bilingual mit Down-Syndrom?

Hallo, wir haben einen siebenjährigen Sohn und Marc, mit Down-Syndrom. Er ist 22 Monate alt. Meine Frau ist Spanierin und ich bin Brite. Wir leben in Madrid und werden dort für die nächste Zeit bleiben. Ich spreche meist Englisch mit den Kindern, meine Frau Spanisch.

Ein unbekannter Vater im Internet

Auch Kinder mit Down-Syndrom wachsen in mehrsprachigen Familien auf. Es gibt fast keine Forschung über sie, aber nach der Erfahrung scheint es, als kämen sie damit ganz gut zurecht:

Bei meinen häufigen Reisen rund um die Welt in den letzten fünfzehn Jahren habe ich eine beträchtliche Anzahl von Kindern und Erwachsenen mit Down-Syndrom kennen gelernt, die zweisprachig sind. Manche können drei Sprachen sprechen, und viele können lesen, schreiben und sprechen auf einem funktional nützlichen Niveau in beiden Sprachen. Wie viel wir erreichen, ist von Mensch zu Mensch unterschiedlich. Doch meine Erfahrung reicht aus, um die Ansicht zurückzuweisen, eine zweisprachige Situation in der Schule oder zu Hause wäre notwendigerweise zu schwierig für ein Kind mit Down-Syndrom.

Die zweisprachigen Kinder und Erwachsenen, die ich kennen lernte, hatten vielfältige Erfahrungen mit Mehrsprachigkeit gemacht. Manche erlebten die Zweisprachigkeit zu Hause und hörten beide Sprachen von Geburt an. Andere lernten die zweite Sprache außerhalb der Familie, zum Beispiel in einer Schule, in der eine andere Sprache benutzt wird.

Die ersten zweisprachigen Kinder, die ich traf, hatten diese Erfahrungen gemacht. Ein junges Mädchen aus einer englischen

Familie lernte Walisisch in der Dorfschule, seit sie fünf Jahre alt war. Mit zehn Jahren konnte sie gleich gut in beiden Sprachen lesen und schreiben, auf einem funktionalen Niveau. Ihre Eltern erzählten mir, dass sie weiter die walisische Schule besuchen werde, denn alle ihre Freunde gingen dorthin.

Das zweite Kind mit Down-Syndrom war mit seinen Eltern von England nach Frankreich gezogen, als sie zehn Jahre alt war. Ihre Mutter hatte ihr Französisch beigebracht, und sie setzte die Schule in Frankreich fort. Wie die anderen Teenager konnte sie bald lesen und schreiben. Vor kurzem begegnete mir eine Japanerin mit Down-Syndrom, die Anfang zwanzig ist. Sie konnte besser Englisch lesen und sprechen als ihre Verwandten.

Prof. Sue Buckley, *Down Syndrome News and Update*[5]

Mehrsprachigkeit ist fast immer durch die Umstande gegeben, durch die mehrsprachige Lebenssituation. Kinder mit besonderen Bedürfnissen leben mitten darin wie andere Kinder auch.

 Zusammengefasst

Auch Kinder mit besonderen Bedürfnissen leben in mehrsprachigen Situationen. Es gibt eine Reihe von Argumenten für ihre Mehrsprachigkeit. Leider gibt es wenig wissenschaftliche Untersuchungen. Einfache Regeln sind hier besonders wichtig: genaue Trennung, bei einem Thema bleiben und oft wiederholen. Auch mit Gebärdensprache ist unser Kind zweisprachig.

Wer redet wie?

»Eine Person, eine Sprache« und andere Möglichkeiten

Wie können unsere Kinder verstehen, wo die eine Sprache aufhört und die andere anfängt? Ein guter Weg ist es, diese Grenzen deutlich zu zeigen. Die bekannteste Art dafür ist, dass jeder Elternteil eine Sprache verwendet: »eine Person – eine Sprache«. Das ist jedoch bei weitem nicht die einzige Möglichkeit. Viele Wege führen zum Ziel.

Wenn sich die Eltern darüber Gedanken machen und gemeinsam eine Verabredung treffen, wer wann welche Sprache benutzt, dann lernen die Kinder besser. Das bestätigen immer wieder wissenschaftliche Untersuchungen.[6]

Eine Person – eine Sprache

So lautet die bekannteste Regel. Zum Beispiel: Die Mutter kommt aus Kanada und spricht Französisch mit Marie, der deutsche Vater spricht Deutsch mit ihr. Die Kinder verstehen auf diese Weise sehr schnell, wo eine Sprache aufhört und die andere anfängt. Der Kürze halber nenne ich sie die 1:1-Regel.

Sie ist wissenschaftlich sehr gut untersucht, aus einem einfachen Grund: Die Sprachforscher haben ihre Kinder nach diesem Prinzip erzogen.

Die 1:1-Regel funktioniert ausgezeichnet, wenn wir zu diesen Sätzen Ja sagen können:

- Wir können jedem Elternteil genau eine Sprache zuordnen, Vater = X, Mutter = Y.
- Wir verbringen beide viel Zeit mit dem Kind.
- Wir leben zusammen.
- Wir verstehen die Sprache des anderen, wenigstens im Großen und Ganzen.
- Wir mischen selten.

Fünfmal Ja gedacht? Dann erreichen wir mit 1:1 die sichersten und besten Resultate.

Wie streng muss diese Regel eingehalten werden?
»Allerstrengstens«, antworten Theoretiker, Kinderärzte und Bekannte oft, »Kinder brauchen feste Regeln, sonst lernen sie einen Mischmasch!«. »Überhaupt nicht«, behaupten immer wieder erwachsene Zweisprachige, »trotz Durcheinanders zu Hause sind wir sehr erfolgreich, studieren, irren uns selten.«

Recht haben – beide. Am wichtigsten für die gesamte Familie ist, dass alle überhaupt miteinander sprechen, dass sie es gerne und viel tun. Wird ein Mensch aus der Familienkommunikation ausgeschlossen, birgt das Sprengstoff. Genau das geschieht jedoch regelmäßig, wenn ein Familienmitglied eine der Sprachen nicht versteht. Beim Essen oder gemeinsamen Spielen wollen wir gerade das Zusammensein genießen; manchmal schaffen wir jedoch gerade dann Schranken – mit Sprache. Die sind dicker als Mauern! Es kann unerträglich werden, wenn sich eine/r ausgeschlossen fühlt. Nicht selten wird dann die ganze mehrsprachige Erziehung enttäuscht abgebrochen: »Ich halt das nicht mehr aus!«

Das muss nicht sein. Die 1:1-Regel funktioniert manchmal besser, wenn sie etwas abgeändert wird. Es ist eine Gratwanderung, den richtigen Weg zwischen zu großer Lockerheit und Überkorrektheit zu finden. Grundsätzlich ist 1:1 eine gute Richtlinie.

Einer kann nicht mitreden ...

Nasrin kommt aus dem Iran und spricht Farsi und Deutsch, ihr Mann Klaus ist Hamburger. Er versteht nur wenig Farsi. Beide leben in Hamburg. Ihre Tochter heißt Melanie.

Klaus fühlt sich bei Gesprächen zwischen Nasrin und Melanie ausgeschlossen. Das bedrückt die kleine Familie, und Klaus verliert etwas die Lust an den persischen Unterhaltungen, bei denen er daneben sitzt und »Bahnhof« denkt. Doch er gibt nicht auf.

Der erste Schritt ist seiner: »Was Melanie mit zwei kann, schaffe ich auch mit zweiunddreißig!«, denkt er sich. Ein Abendkurs in Farsi muss her, die Volkshochschule bietet das an. Nasrin ist begeistert. Sie lädt immer mal ein paar persische Freunde ein, die auch mit Klaus sprechen. Stolz merkt er, was er schon kann. Was er noch nicht versteht, übersetzt Nasrin – so lernt er gleich mit.

Daddy ist oft unterwegs

George ist Schotte, Irina Österreicherin. George arbeitet als Industrievertreter und ist oft die ganze Woche unterwegs. Irina hat lange in London gelebt und spricht daher sehr gut Englisch. Sie leben in München.

Wenn Irina und George streng nach »eine Person – eine Sprache« verfahren, wird George wahrscheinlich viele bittere Momente erleben. Für ein kleines Kind ist es fast unmöglich, eine Sprache mit langen Unterbrechungen zu lernen.

Vielleicht möchte sich Irina überlegen, ob auch sie bei bestimmten Gelegenheiten Englisch spricht – zum Beispiel beim Essen oder bei der Gute-Nacht-Geschichte. Wenn George da ist, könnte die ganze Familie Englisch sprechen. Bei allen anderen Gelegenheiten könnte die Mutter mit dem Kind Deutsch sprechen. Englischsprachige Krabbelgruppen, Babysitter und Freunde können die Unterbrechungen durch Georges Reisen mit auffangen.

Familiensprache – Umgebungssprache

Viele Familien verwenden zu Hause ihre Sprache, während die Umgebung Deutsch spricht. Hier benutzen beide Elternteile die gleiche Sprache, die Umgebung eine andere. Auch das erkennen die Kleinen bald.

Früher gab man oft den Rat: »Reden Sie Deutsch, damit das Kind es lernt« – und musste feststellen, dass die Kinder viele Fehler mitlernten. Die Eltern waren nicht sicher, ob es nun »das Haus« oder »die Haus« heißt, und diese Unsicherheit gaben sie weiter. Es ist am besten, die Sprache zu benutzen, die man fehlerfrei beherrscht.

Die Sprache der Umgebung lernen die Kinder meist gut, wenn sie ihre erste Sprache gut beherrschen. Ist das Kind in der Familiensprache fit, wird es wahrscheinlich im Kindergarten schnell Deutsch lernen. Freundschaften mit großen und kleinen deutschen Freunden helfen ihm dabei. Wir können versuchen, diese Kontakte zu fördern, mit Kleinen und mit Erwachsenen.

In einer Fremdsprache erziehen?

Ich kenne auch Familien, in der die Mutter an Irinas Stelle aus dem vorherigen Abschnitt Englisch mit den Kindern spricht. Sie sind damit oft sehr zufrieden und wundern sich, wie viel Skepsis ihnen aus der Umgebung entgegenschlägt.

Ich glaube, für diese Skepsis gibt es sowohl vernünftige als auch gefühlsmäßige Gründe. Zunächst zum Gefühl: Tief drinnen glauben immer noch viele Menschen, eine Person müsste »wissen, wohin sie gehört«, und das auch sprachlich. Dahinter steckt die alte Idee einer einsprachigen Welt und insofern kann man über diese Haltung reden und zeigen, wie antiquiert sie ist. Es gibt weltweit sehr viele Eltern, die eine andere Sprache mit ihren Kindern reden als die, in der sie aufgewachsen sind. Deshalb ist die Beziehung nicht weniger innig. Wer lange in anderen Ländern gelebt hat, dem ist vielleicht mittlerweile eine andere Sprache als die erstgelernte näher. Das ist ein üblicher Prozess. Wir verändern uns mit der Umwelt, in der wir leben.

Als Sprachwissenschaftlerin sehe ich dagegen eine andere Schwierigkeit: *Wie gut* ist Irinas Englisch? Wie reich ist ihr Ausdruck, wie viel übersetzt sie aus dem Deutschen, ohne sich dessen bewusst zu sein, wie garantiert sie, dass ihr Englisch nicht immer mehr verflacht? Wie ist ihre Aussprache? Welche Fehler unterlaufen ihr? Entwickelt sie ihre Sprachkenntnisse stetig weiter?

Einer unserer Freunde spricht mit seinen Söhnen Englisch. Vor zehn Jahren hatte er zwei Jahre in Großbritannien gelebt und seiner Ansicht nach reichte das. An seiner Aussprache war er sofort als Teutone zu erkennen, und wenn ich ihn hörte, war ich immer erstaunt, wie parallel die Grammatik der Inselsprache zum Deutschen verlief. Nun bin ich mir nicht sicher, ob die Äußerungen nun falsch oder richtig waren, aber klar ist: Die Fehler, die dieser Vater seinen Söhnen als Modell vorgibt, werden sie kaum korrigieren können. Vielleicht kommen sie einmal so weit wie er – aber weiter nicht.

Elke Montanari

Irina sorgt dafür, dass ihr Englisch gut bleibt: Sie liest Zeitungen, Bücher und hört viel Radio, besucht englische Veranstaltungen. Doch sie verlässt sich nicht nur darauf. Mit ihrer Tochter besucht sie englische Krabbelgruppen und Kurse für Kinder. Einmal pro Woche hilft ihr Jane, eine Babysitterin aus London, die mit der Kleinen spielt. Und vor allem: Irina fühlt sich wohl, sie spricht gern ihr feinstes Britisch zu Hause.

Das Wichtigste ist: Die Sprache, die man den Kindern beibringt, sollte man sehr gut beherrschen. Macht man selbst noch Fehler, so ist diese Sprache nicht geeignet, um sie zu Hause zu benutzen. Und man sollte sich damit wohl fühlen – sie nicht als »Fremdsprache« empfinden, sondern als Herzensangelegenheit.[7]

Mix und unsichtbare Regeln

Manchmal benutzen Sprecher in *einer* Unterhaltung zwei Sprachen gleichzeitig, scheinbar wahllos und ohne erkennbares Muster. Doch auch wenn die Unterhaltung chaotisch anmutet, sind vielleicht Regeln wirksam. Wir bemerken sie nur nicht, wie hier bei Danielle:

I was born in Tunisia. I spoke Arabic with the people in the street. Mum and Dad were born in Tunisia also and spoke Arabic fluently, but also Italian which they had learnt from their Italian parents. Mum and Dad attended French school and thus, they were fluent in the three languages. We lived at home, a large tribe of 30 and all spoke the three languages fluently. Everyone wanted to communicate and everyone did it in three languages, at all times! Lunches and dinners were always noisy. Stories were told in Italian more often, but depending on the story, the conversation, the event, it was told in one of the three languages – or partly in one language, partly in another. Sometimes a sentence was said in French/Arabic/Italian. There was no rule. Whatever the listener would understand faster, whichever language

Ich bin in Tunesien geboren. Mit den Leuten auf der Straße sprach ich Arabisch. Auch meine Eltern sind in Tunesien geboren und sprachen fließend Arabisch, aber auch Italienisch, das sie von ihren italienischen Verwandten gelernt hatten. Sie hatten eine französische Schule besucht und beherrschten daher drei Sprachen fließend. Wir lebten als großer Stamm von 30 Personen zusammen, alle verwendeten drei Sprachen fließend. Jeder wollte sich mitteilen und jeder tat es in drei Sprachen, und immer! Bei den Mahlzeiten war es immer laut. Geschichten wurden meist auf Italienisch erzählt, aber je nach Geschichte, Gespräch, Ereignis wurde es in einer der drei Sprachen ausgedrückt – oder zum Teil in einer, zum Teil in einer anderen. Manchmal wurde ein Satz auf Französisch/Arabisch/Italienisch

conveyed the message accurately, whichever was funnier, we used. Yet we were always able to separate the three languages when we were in the presence of people who could not understand the »family« like at school (French) or outside (Arabic) or with our visiting family (Italian).

gesagt. Es gab keine Regel. Was immer der Hörer schneller verstehen würde, welche Sprache den Inhalt genau ausdrückte, was lustiger war, benutzten wir. Trotzdem waren wir immer in der Lage, die drei Sprachen zu trennen, wenn wir mit Leuten zusammen waren, die nicht die »Familie« verstanden – wie in der Schule (Französisch), draußen (Arabisch) oder bei Verwandtenbesuchen (Italienisch).

Danielle, Frankfurt/M.[8]

Danielle ist mittlerweile viersprachig. Bald wird sicherlich Deutsch hinzukommen!

Immer wieder berichten Mehrsprachige, dass sie zu Hause gemischt hätten und trotzdem sehr gut die einzelnen Sprachen trennen können.

Unsichtbare Regeln

Vielleicht bemerken wir manchmal nicht, welche Regeln am Werk sind. Sie sind für uns unsichtbar. Bei Danielle trifft das zu: Was für sie wie wahlloses Hin- und Herschalten aussieht, zeigt schon in diesem kurzen Brief deutliche Grundsätze: 1) In der Familie – und nur da – sprechen wir drei Sprachen gleichberechtigt. 2) In der Schule lernen wir Französisch als Zweitsprache. 3) Mit Einsprachigen sprechen wir eine Sprache.

Dabei wissen wir noch nicht, welche Grammatik verwendet wird. Vielleicht handelt es sich ja trotz aller geborgten Wörter um arabische Sätze?

48

Oft ist uns nicht bewusst, wie viele Normen wir im Alltag beachten. Das gilt auch für die Sprachwahl. Danielles Familie benutzt eine Art Familien-/Umgebungssprache: Die Familie verwendet drei Sprachen, doch in der Umgebung sind die einzelnen Sprachen klar getrennt nach Schule, »draußen« und italienischen Verwandten. Man könnte sagen: eine Familiensprache plus drei Umgebungssprachen.

Wieder spielt auch die Umwelt eine Rolle: Danielle ist in einem Land aufgewachsen, in dem Französisch, Arabisch und Tunesisches Arabisch verwendet werden. Mischungen werden viel eher akzeptiert als in einem Land, das sich als einsprachig begreift wie zum Beispiel Deutschland. Hier sind Mischungen in der Schule schlicht und einfach »Fehler«.

Möglicherweise verkraften Kinder Mischungen auch sehr viel besser, als wir bisher annehmen. Mehr darüber finden Sie im Kapitel »Ist Mischen gut oder schlecht?« (Seite 169ff.).

Familiensprache – Schulsprache

Eine andere häufige Regel ist: Eine Sprache für familiäre Dinge, eine andere für Arbeit und Schule. Auch sie gehört zu den unsichtbaren Prinzipien, oft ist sie sogar den Sprecherinnen und Sprechern selbst nicht bewusst.

Mit meinen Brüdern und Schwestern rede ich natürlich Italienisch. Aber wenn es um meine Arbeit geht, kommen mir die deutschen Wörter in den Sinn. Ich habe meine Ausbildung im Ruhrgebiet gemacht und arbeite hier. Ich glaube, es würde mir schwerer fallen, auf Italienisch über meine Tätigkeit zu schreiben als auf Deutsch.

Gabriella, Hagen

Auch das ist eine funktionierende Trennung. Es ist klar, wann was »richtig« ist, die jeweiligen Unterhaltungen sind einsprachig. Es gibt nur einen Nachteil: Mit der Zeit fehlen die Impulse für die erste Sprache. Während Deutsch durch die Schule oder die Arbeit viele Anregungen bekommt und wächst, bleibt die erste Sprache auf den Bereich Familie beschränkt. Trotzdem ist das für viele Menschen die Form, mit der sie sich am wohlsten fühlen.

Wichtig: Es klappt auch solo

Bei einem Umgang mit mehreren Sprachen, der Mixen zulässt, lohnt es sich darauf zu achten, dass die Kinder auch *einsprachige* Unterhaltungen führen können. Gerade in der deutschen Schule ist das wichtig! Am einfachsten gelingt das durch Freundschaften mit Einsprachigen, Reisen oder Besuche. Danielle hat das beschrieben: In der Schule, auf der Straße erlebte sie jeden Tag die Notwendigkeit, sich in nur einer Sprache auszudrücken. Sie übte täglich.

Meine Einschätzung

Wenn mich jemand nach meiner Meinung fragt, antworte ich: Ein klares Prinzip wie »1:1« oder »Familien-/Umgebungssprache« halte ich für den sichereren Weg und empfehle ihn. Doch ich erkenne an, dass man auch auf andere Weise mehrere Sprachen erwerben kann.

 Zusammengefasst

Wenn Eltern darüber nachdenken, wie sie mit den Kindern reden, dann lernen diese besser. Es gibt verschiedene Möglichkeiten, mehrere Sprachen im Alltag zu benutzen. Die bekannteste Regel heißt »eine Person – eine Sprache«, ich kürze sie »1:1« ab. Sie ist sehr gut geeignet, wenn sich jedem Partner eine Sprache zuordnen lässt, beide viel Zeit mit den Kindern verbringen und alle die verwendeten Sprachen verstehen. Eine weitere Möglichkeit ist, eine Familien- und eine Umgebungssprache einzuführen.

Genaue und klare Trennungsregeln erleichtern den Kindern das Lernen. Es gibt jedoch auch Menschen, die ohne solche Prinzipien zwei Sprachen gut gelernt haben.

Drei und mehr Sprachen

Wir sprechen Niederländisch, weil ich nicht meinen Dialekt mit den Kindern zu Hause sprechen möchte. Wir verwenden die Hochsprache, damit sie mit der Sprache wirklich etwas anfangen können.

Mein Mann spricht nur Italienisch mit den Kindern. Das haben wir von Anfang an so gemacht und zwar sehr konsequent. Auch wenn ich einmal eine Frage auf Deutsch oder Italienisch stelle, antworten die Kinder auf Niederländisch.

Unsere Kinder haben in der Krabbelstube, im Kindergarten und in der Schule Deutsch gelernt, aber wirklich nur außerhalb des Hauses. Deutsch haben sie nie zu Hause gelernt. Deshalb sind sie auch sehr früh, also vor dem zweiten Lebensjahr, in die Krabbelstube gegangen, weil wir wollten, dass sie rechtzeitig mit Deutsch anfangen. Das haben sie dort ziemlich schnell gelernt und auch recht gut.

Laurette kommt aus Belgien.
Mit ihrem Mann Vincenzo und ihren drei Söhnen lebt sie in Deutschland.

Noi parliamo più che altro l'inglese in casa, però anche l'italiano. Mio marito è italiano e parla con i figli l'italiano. Io parlo sempre l'inglese. Quando ci incontriamo con gli amici italiani parliamo tutti quanti l'italiano. Poi i bambini vanno ad un scuola internazionale dove parlano l'inglese per la maggior parte delle lezioni. Hanno anche corsi in tedesco. Anche i loro amici sono tedeschi. Quindi parlano

Wir sprechen vor allem Englisch zu Hause, jedoch auch Italienisch. Mein Mann kommt aus Italien und spricht seine Sprache mit den Kindern. Ich benutze immer Englisch. Mit italienischen Freunden verwenden alle Italienisch. Auf der internationalen Schule meiner Kinder findet der meiste Unterricht auf Englisch statt. Ein paar Deutschstunden gibt es auch. Die Kinder haben deutsche

molto spesso il tedesco. Quando abbiamo a casa amici dei nostri bambini, loro giocano parlando tedesco.
I fratelli tra di loro parlano l'inglese. Però questa estate siamo stati per quasi due mesi in Italia e alla fine hanno anche parlato un po' l'italiano.
E' molto importante la lingua dell 'ambiente. Qualche volta i bambini parlano l'inglese con una sintassi tedesca. Usano male le preposizioni in inglese.
Il tedesco ha una grande influenza.

Freunde und reden daher oft darin. Sind Schulfreunde zu Besuch, spielen sie auf Deutsch.
Untereinander verwenden die Geschwister Englisch. In diesem Sommer verbrachten wir zwei Monate in Italien, und am Ende sprachen sie auch manchmal Italienisch miteinander. Die Umgebung spielt eine große Rolle.
Manchmal benutzen die Kinder Englisch mit deutschem Satzbau. Die englischen Präpositionen beherrschen sie schlecht. Das Deutsche hat einen großen Einfluss.

Peggy, Amerikanerin in Frankfurt/M.

Dreisprachige Familien sind nicht selten: In jeder meiner Veranstaltungen habe ich Menschen getroffen, die zu Hause und in der Umgebung drei Sprachen benutzen. Unter meinen Bekannten sind drei Familien, denen zwei Sprachen nicht ausreichen.

Was ist bei ihnen anders? Eigentlich – wenig. Ihre Söhne und Töchter lernen alle drei Sprachen gut und unproblematisch. Mit vier Jahren verstehen und antworten sie auf Italienisch, Englisch, Deutsch, was gebraucht wird. Für uns Erwachsene ist das erstaunlich. Auch ich erwartete, die Eltern würden von besonderen Schwierigkeiten oder Ähnlichem berichten. Nein – es scheint eher unauffällig zu klappen. Ihre Schwierigkeiten und Fragen sind die, die ich auch von Zweisprachigen her kenne: Wird unser Kind genug Deutsch lernen? Es sagt den Satz in A mit der Grammatik von B, was sollen wir tun?

Schwierig sind eher – die Mitmenschen. Immer wieder fragen sie vorsichtig nach, ob denn die armen Kinder nicht überfordert wären, verwirrt und überhaupt ... »Nein«, antworten Dreisprachige darauf. Überfordert sind eher die anderen bei dem Gedanken, dass ein kleines Kind mehr kann als sie.

Fachleute und Kinderärzte wissen häufig wenig über zwei Sprachen, bei Dreierkombinationen sind sie meist von jeglichem Wissen unbeeinflusst. Weder im Studium noch danach haben sie sich mit dem Thema befasst. Bestenfalls verfügen sie über eigene Erfahrungen mit ein oder zwei anderen Familien, die jedoch in der Regel nicht theoretisch überprüft werden konnten.

In einer zweisprachigen Familie kann jeder Elternteil eine Sprache übernehmen. Doch dreisprachige Familien verwenden mehr Sprachen, als Eltern da sind. Darum müssen sie oft die 1:1-Regel auf sich anpassen. Laurette hat das so gelöst, dass sie sich zu Hause 1:1 verhalten. Sie spricht Niederländisch, ihr Mann Italienisch. Die Umgebungssprache Deutsch lernen ihre Söhne im Kinderladen. Weitere Möglichkeiten finden Sie in dem Abschnitt »Kunstgriffe« (Seite 54ff.).

Zusammengefasst

Dreisprachige Familien sind nicht so selten, wie es scheinen mag. Drei Sprachen sind keine Überforderung, auch wenn viele Mitmenschen das annehmen.

Kunstgriffe

Handpuppen

Wie können wir eine Situation schaffen, in welcher der Gebrauch einer Sprache ganz natürlich ist? In der es gar nicht anders geht?

Ganz einfach – ich lade einen Freund ein, der tolle Spiele kennt, komisch, lieb und draufgängerisch ist, alles mitmacht und vor allem nur eine Sprache spricht und versteht. Dieses wunderbare Zauberwesen ist eine Handpuppe. »Schau, das ist John. Er versteht nur Englisch. Wollen wir ihn begrüßen? Hi, John! Wollen wir ihm sagen, wer wir sind?«

Für die Puppe antworte ich. Natürlich bemerken die Kinder irgendwann, wer in Wirklichkeit redet. Sie dürfen mir auch ruhig auf den Mund schauen, denn sie sollen ja sehen, wie ich die Lippen, die Zunge bewege, um die Wörter auszusprechen. Es ist ein Spiel, und die Regel lautet: John spricht nur Englisch. Jetzt liegt es an mir, was die Puppe tun und sagen soll. Wie ein Freund oder eine Freundin begleitet die Puppe uns durch den Tag. Wir holen sie jeden Tag hervor, dann wirkt sie am besten.

Mit diesem Kunstgriff bleiben wir bei dem Prinzip »eine Person – eine Sprache« und schaffen Raum für eine weitere Sprache in unserem Alltag. Darum eignet sich die Handpuppe sehr gut, wenn mehr Sprachen als Bezugspersonen vorkommen: wenn das Kind nach einer Trennung der Partner möglichst zweisprachig bleiben soll, wenn Sie selbst zweisprachig sind und von beiden Sprachen etwas weitergeben möchten, bei längeren Abwesenheiten eines Partners und in dreisprachigen Zusammensetzungen.

Inseln schaffen

Meine Familie ist türkisch. Ich bin hier geboren, und als Muttersprache fühle ich Deutsch, das spreche ich besser. Meiner Frau geht es auch so. Wir sprechen normalerweise Deutsch zusammen. Unser Sohn soll auch Türkisch lernen – wie können wir das machen?

Ein Vater in einer Elternveranstaltung

Wir können im Alltag Inseln schaffen, auf die wir immer wieder zurückkehren; Momente, in denen die türkische oder jede weitere Sprache ihren Platz hat. Sie sind begrenzt, doch fest und wir können sie immer wieder besuchen.

Sehr gute Inseln sind

- die tägliche Gute-Nacht-Geschichte
- Mahlzeiten: Beim Abendessen/bei jeder Mahlzeit reden wir Türkisch (oder ...)
- Spiele, die wir gerne und ausdauernd miteinander spielen – z.B. Eisenbahn oder Einkaufen spielen wir auf Türkisch
- Jede Tätigkeit, die wir regelmäßig und gerne tun, kann unsere Insel werden. Das hängt auch von Ihrer Kultur ab – in angelsächsischem Umfeld bietet sich vielleicht eine *teatime* an, für Italienisch ist die *cena* geeigneter, in anderen Kulturen gibt es Spiele oder Rituale, die besonders wichtig sind.

 Zusammengefasst

Eine Handpuppe kann wie eine dritte Person für eine Sprache stehen. In dreisprachigen Familien, nach einer Trennung der Partner oder wenn ich mehr als eine Sprache weitergeben will, ist sie ein wunderbarer Begleiter und Freund.
Inseln im Alltag sind Gelegenheiten, um immer wieder eine Sprache aufzugreifen. Gute Inseln liegen so auf der Strecke, dass wir ohnehin jeden Tag vorbeifahren: als Mittagessen, Märchenzeit oder Gute-Nacht-Geschichte zum Beispiel.

Wechsel ermutigen

Viele Eltern kennen diese Erfahrung – alle Antworten kommen auf Deutsch. Es gibt ein paar Möglichkeiten, mit denen wir es unseren Kindern erleichtern, die Sprache zu wechseln. Gerade bei Kleinen klappt das oft sehr gut. Manchmal wechseln sie dann sogar, ohne es zu merken.

Die »Wie bitte?«-Strategie

Paolo möchte, dass Irene mit ihm Italienisch spricht:

Irene: Papa, gibst du mir einen Keks, bitte?
Paolo: Come? *(Wie bitte?)*
Irene: Einen Keks!
Paolo: Che cosa vuoi? *(Wie bitte? Was möchtest du?)*
Irene: Voglio un biscotto! *(Ich möchte einen Keks!)*
Paolo: Eccolo! *(Bitte, da hast du ihn!)*

Elke Montanari

Die »Wie bitte«-Strategie ist oft erfolgreich, besonders wenn die Kleinen etwas wollen. Wir fragen in der gewünschten Sprache freundlich nach: Wie bitte? Come? Damit zeigen wir Interesse an dem Gesagten. Gleichzeitig regen wir an, die Sprache zu wechseln. Das kann für alle eine unwillkürliche, automatische Handlung werden.

Gerade »Wie bitte?« reiht sich oft nahtlos in die Unterhaltung ein. Es kann einen Wechsel bewirken, der wie von sich aus kommt. Das ist die Methode der Wahl, wenn unser Schatz grundsätzlich damit einverstanden ist, in unserer Sprache zu antworten, und es in der Aufregung des Momentes vergisst. Wie Paolo kann man ein bisschen Nachdruck hineinlegen, aber es geht auch völlig ohne.

Auf einer Sprache bestehen: »Ich versteh nicht«

Wir können eine Spielregel einführen, die lautet: Ich spiele einsprachig. Ich tu so, als könnte ich nur eine Sprache verstehen. In Wirklichkeit wissen die Kleinen schon sehr früh, welche Sprachen wir wie gut beherrschen. In der U-Bahn, im Kino, überall hören sie, wie wir die Umgebungssprache benutzen. Trotzdem, wenn alle diese Spielregel annehmen, dann klappt das Spiel und alle gewinnen.

Kevin und Jacob leben in Melbourne, Australien. Sie wachsen in einer englischen Umgebung mit Deutsch als zweiter Sprache auf. Kevins Vater spricht Deutsch mit ihm.

Kevin: Nein, go away.
Vater: Das versteh ich nicht.
Kevin: Go away!
Vater: VerSTEH ich nicht!
Kevin: GEH WEG!
Vater (lacht): Okay, das versteh ich.[9]

Es ist Geschmackssache, ob man sich darauf einlassen mag. Ich kenne zwei Mütter, die es sehr einfach fanden, die Kinder haben es sofort akzeptiert und alle waren zufrieden.

It is no more cruel than asking your child to say »please« before giving her a cookie.

Das ist nicht grausamer, als darauf zu bestehen, dass ein Kind »bitte« sagt, bevor Sie ihm einen Keks geben.

Annick de Houwer, Linguistin,
Antwerpen[10]

So tun, als würden wir die andere Sprache nicht verstehen, kann funktionieren, vor allem wenn es von kürzesten Kindesbeinen an festgelegt wird. Auch das gelingt besonders gut, wenn die Kinder etwas wollen, Schokolade, eine Auskunft. Deutlich schlechter stehen wir da, wenn wir etwas verlangen, zum Beispiel Aufräumen. Dann ist es gut möglich, dass nicht reagiert wird, aus vielerlei Gründen ... Versuchen lohnt sich. Das Eis, die Milch gibt's eben nur bei der spanischen, türkischen, englischen Bitte.

So weisen wir unsere jungen Gesprächspartner mit Nachdruck darauf hin, dass wir die Unterhaltung in einer bestimmten Form wünschen. Das geht lachend wie bei Kevin, aber natürlich können wir damit auch Konflikte angehen und klar zeigen, was wir möchten.

Wollen allerdings die Kinder unbedingt etwas loswerden – nach der Schule oder dem Kindergarten, wenn sie krank, müde oder traurig sind, dann ist die Botschaft wichtiger als die Form. Dann dürfen sie alles heraussprudeln lassen, egal wie.

Die freundliche Bitte

Ein freundlicher Hinweis kann Wunder wirken.

Bei Amy half es gar nichts zu behaupten, ich könnte kein Deutsch verstehen. Als ich ihr dann sagte, ich möchte, dass sie mir auf Englisch antwortet, war sie einverstanden.

Jane, Wien

Auch der Vater von Kevin sagt seinem Sohn direkt, dass er bitte Deutsch mit ihm sprechen möchte.

Kevin: Make the bees honey?
Vater: Du sollst es deutsch sagen.
Kevin: Honig.[11]

58

Der Einschnitt im Gespräch ist bei dieser Vorgehensweise deutlicher. Kevins Vater lenkt die Aufmerksamkeit vom Honig auf die Sprache, als würde er sagen: »Bevor ich mich mit dem Was befasse, bringe das Wie in Ordnung.« Es hängt von der Situation ab, ob diese Bitte Erfolg hat oder als Störung begriffen wird. In einem entspannten und ruhigen Moment ist es ein guter Weg zu sagen, was man bevorzugt. Ist das Kind jedoch aufgeregt und möchte die Schulerlebnisse loswerden, dann ist es nicht das richtige Mittel. Wenn wir sagen: »Das Küche brennt!«, wollen wir ja auch nicht korrigiert werden, sondern Löschwasser bekommen.

Sie können sehr gut beobachten, ob Ihr Kind auf klare Aufforderungen gut antworten kann oder ob es sich gehindert fühlt.

Wann *Die freundliche Bitte* und *Ich verstehe nicht* falsch sind

Ist unser Kind beim Sprechen unsicher? Ringt sich jemand mühsam durch, endlich mal etwas zu sagen? Dann geben wir Mut – statt ihn zu nehmen. Mit schüchternen oder unsicheren Kindern, Kleinen, die Schwierigkeiten beim Sprechen haben, aus welchen Gründen auch immer, oder einfach selten reden, sind diese Vorgehen ungeeignet. Auch die »Wie bitte?«-Strategie ist dann mit Vorsicht zu gebrauchen.

Wenn Kinder wenig sprechen, ist erst mal wichtiger zu vermitteln: Ich verstehe dich, ich höre dir zu, ich reagiere auf dich. Wir fördern den Spaß am Reden. Deshalb zeigen wir unsere Freude über das Gesagte, reagieren auf den Inhalt und nehmen die Form so, wie sie ist.

Übersetzen

Jacob und seine Mutter malen. Sie möchte mit ihm Deutsch reden, doch er antwortet auf Englisch.

Jacob: I make mouth for you. (*Ich mache Mund für dich.*)
Mutter: Jawohl. Ist der Mund auf der Stirn?[12]

Durch die Übersetzungen bietet die Mutter Jacob die deutschen Formen an. Das ist gut, denn so hört er sie immer. Jedoch: Da sie ihn offensichtlich sehr gut versteht und seine englischen Antworten akzeptiert, braucht er selbst nicht zu wechseln. Die Unterhaltung klappt ja auch so.

In diesen Beispielen muss Jacob nur mit Ja oder Nein antworten. Besser wäre es, sie würde offene Fragen stellen. Er könnte dann mit mehr Wörtern als Ja oder Nein antworten:

Jacob: I make mouth for you.
Mutter: Was malst du?

Beim Übersetzen liegt die Entscheidung bei den Kindern, ob sie den Ball aufnehmen wollen und wechseln oder nicht. Beides ist in Ordnung, im Gegensatz zu »Wie bitte?«, der »Freundlichen Bitte« oder »Ich versteh nicht«. Diese Freiheit hat Vor- und Nachteile: Für schüchterne oder unsichere Kinder lässt sie offen, sich so auszudrücken, wie sie sich sicherer fühlen. Mit Größeren und Jugendlichen können wir einen Konflikt auflösen und die Mehrsprachigkeit aufrechterhalten, selbst wenn die Teens nicht aktiv mitmachen.

Dagegen verschenken wir Chancen bei kleineren und persönlichkeitsstarken Kindern, wenn wir uns mit Übersetzungen in die Defensive begeben. Unser Trotzkopf möchte vielleicht nur die Grenze ertasten. In diesem Fall können wir durchaus seinen Wutanfall riskieren und behaupten, nicht zu verstehen.

Der eigene Weg

Welcher Anstoß ist für unser Kind der richtige? Auch hier hat jedes Kind seinen eigenen Weg. Wenn wir die verschiedenen Möglichkeiten ausprobieren, zeigt es uns mit seinen Antworten den Weg, der zu ihm passt.

Zusammengefasst

So ermutigen wir Wechsel:

▲ Mit der »Wie bitte?«-Strategie
▲ Mit der Spielregel: Ich versteh nicht
▲ Mit einer freundlichen Bitte
▲ Durch Übersetzen

Es hängt von uns und unserem Kind ab, was am besten funktioniert. Eine dieser Techniken klappt fast immer, vor allem bei kleinen Kindern.

Schwierige Momente und Lösungen

Mir fällt es schwer, umgeben von Italienern mit meinen Kindern Deutsch zu sprechen. Gerade am Anfang einer Bekanntschaft scheint mir jedes Gespräch dadurch hölzern. Für die neuen Freunde meiner Kinder bin ich so etwas wie ein Alien. Sogar die Eltern sprechen auf einmal mit mir betont langsam und deutlich.

Elke Montanari

Wenn andere dabei sind

Das ist noch die harmlose Variante; manche Großeltern rebellieren zuweilen, für Nachbarn ist es Arroganz, Besucher legen es als grobe Unhöflichkeit aus, wenn eine andere Sprache als ihre verwendet wird. Auch hier gibt es Unterschiede: Bei Englisch stehen oft die positiven Seiten im Vordergrund, mit anderen Sprachen erntet man eher Kritik.

Ein Gespräch oder Teile davon nicht zu verstehen löst Unsicherheit aus. »Reden sie jetzt über mich? Soll ich etwas nicht wissen? Gehöre ich nicht dazu?«, all das schießt durch den Kopf. Vor lauter Unbehaglichkeit reagieren viele mit Abwehr. Muss das so sein? Wie können wir die Situation entspannen?

Partner suchen

Wir haben unsere Großeltern mit einbezogen. Sie sind unsere einsprachigen Experten. Zuerst erklärten wir ihnen die 1:1-Regel, die wir benutzen. Ihre Rolle ist dabei eine besondere, denn mit ihnen können sich die Kinder ja wirklich nur in einer Sprache verständigen. Darum luden wir sie zum Vorlesen, Erzählen und Erklären ein. Indem sie manchmal ertragen, nicht zu verstehen, unterstützen sie uns und ihre Enkel sehr, haben wir ihnen erklärt. Jetzt fühlen sie sich schon nicht mehr so unnütz, wenn sie der Unterhaltung nicht folgen können. Und natürlich übersetzen wir viel für sie.

Mit so einer klaren eigenen Rolle können unsere Großeltern, Freunde und Nachbarn der Mehrsprachigkeit viel abgewinnen. Sie wirken selbst aktiv mit. Geholfen hat dabei, dass wir fest entschlossen und uns einig waren. Sonst wäre es schwierig gewesen, das durchzusetzen.

Ausnahmen zulassen

Würden Sie über eine Brücke aus Glas gehen wollen? Ich auch nicht. Es ist die Flexibilität, die Stahl geeigneter als Glas macht, nicht die Härte. Nachgeben, federn, sich ausdehnen und zusammenziehen, Erschütterungen auffangen – das sind die Stärken von Stahl. Die gläsernen Kristallstrukturen sind zu starr, um Kräfte aufzufangen.

So ähnlich kann auch unsere Brücke zwischen den verschiedenen Sprachen und den Menschen gebaut sein. Etwas Flexibilität ist nötig, um die Brücken nicht einstürzen zu lassen. Dabei das richtige Maß zu finden – darauf kommt es an.

Gerade zu Beginn einer Bekanntschaft oder in den ersten Tagen bei Verwandten tut etwas Zeit allen gut, man kann Vertrauen gewinnen und Ausnahmen zulassen. Ab und zu, beim Essen, gemeinsamen Aktivitäten kann durchaus immer mal auch die Sprache aller Anwesenden miteinander gesprochen werden. Nicht nur, denn es sollten sinnvollerweise Ausnahmen bleiben. Mit der Zeit verwenden wir dann mehr und mehr nur noch die Sprachen, die wir sonst auch untereinander verwenden. Das heißt, wenn Tanten und Cousins sich an uns gewöhnt haben, die Bekanntschaften fester sind, dann können auch die zwei, drei Familiensprachen wieder voll ihren Platz einnehmen.

Die Voraussetzungen dafür sind zwei: Erstens, dass sich alle damit wohl fühlen und ausdrücken können, was sie wollen. Zweitens, dass die Kinder diese Ausnahmen akzeptieren. Häufig tun sie das nicht und verbessern: »Mami, du hast die falsche Sprache gebraucht!« Dann gibt es nur eines – doppelt sagen, übersetzen. So lange, bis auch die anderen merken, dass ihnen nichts entgeht, wenn ich in einer anderen Sprache sage: »Gib mir bitte das Salz.«

Nachgeben

Manchmal wird der Druck von außen so unerträglich, dass Nachgeben die einzige Lösung scheint. Gerade bei seltenen oder unterschätzten Sprachen kommt das vor. Wenn dann noch der Partner nicht versteht und vorschlägt: »Also beim Abendessen kannst du ruhig Deutsch statt Farsi reden«, und der Sohn bestimmt: »Wenn du mich abholst, dann sprich bitte wie die anderen!«, dann ist es mit dem eigenen Mut oft vorbei. Umschwenken, zusammen mit anderen die Umgebungssprache verwenden – welche Gründe gibt es dafür, welche dagegen?

Ein Argument dafür ist, dass die Auseinandersetzungen mit der Umwelt sofort aufhören.

Doch was vermittle ich dem Kind? So etwas wie »Farsi ist in Deutschland nicht in Ordnung. Das kann man zu Hause machen, aber nicht vor anderen.« Diese Botschaft ist genau das Gegenteil von dem, was wir erreichen wollen: »Dein Farsi ist ein Reichtum, auf den wir alle stolz sind.« Wie soll ein Kind mit diesem Widerspruch glücklich über seine Zweisprachigkeit werden?

Ich kann gut verstehen, wenn manchmal Durchhalten zu schwer scheint. Doch je mehr, je öfter wir es schaffen, desto größer ist unser Gewinn. Und: Manchmal lernen ja auch die anderen dazu.

Vielleicht können wir die Schwierigkeiten lösen. Eine Vereinbarung mit dem Partner treffen, mit der beide leben können. Aus der Abholsituation keinen Konflikt machen, flexibel sein. Aber vor allem die positiven Seiten unterstreichen: Wenn möglich bei einer Reise erleben lassen, dass in anderen Teilen der Welt diese Sprache das Kommunikationsmittel ist. Auch in Deutschland Umgebungen suchen, in denen unsere Sprache gesprochen wird: Feste, Konzerte, Restaurants.

Zusammengefasst

Nichts verstehen – das ist für Dritte oft eine ungewohnte Situation. Partner suchen und Ausnahmen zulassen: Das sind zwei Möglichkeiten, schwierige Momente aufzulösen, und gute Alternativen zum Nachgeben.

Wie lernen Kinder sprechen?

Von »dada« bis »ti voglio bene«

Erst denken, dann reden ...

So scheinen es Kinder zu handhaben. Je mehr sie begreifen, je mehr sie von der Welt verstehen, desto offener sind sie für Sprache. Darum sind alle Erfahrungen für das Sprachelernen wichtig: Tasten, Fühlen, Schmecken, Sehen und natürlich Hören. Was »glatt« bedeutet, erfühle ich an dem Stein in meiner Hand, »gelb« verstehe ich, weil ich eine Sonnenblume gesehen habe. Den Unterschied zwischen »bitter« und »süß« erklärt mir meine Zunge, meine Nase entschlüsselt mir Düfte. Doch nicht nur das: Auch Bewegung gehört dazu, Krabbeln, Laufen. »Weit« erläutern mir meine Füße, und den Unterschied zwischen »schnell« und »langsam« erfahre ich mit meinem Körper. Die Worte anderer nehme ich mit dem Gehör wahr, und für die eigenen Äußerungen brauche ich die feinen Bewegungen von Mund, Zunge und Lippen.

Ein Baby probiert das schon aus. Es lallt – und trainiert dabei Stimmbänder und Zunge. Es experimentiert: Wenn ich die Zunge so und so bewege, dann kommt der Laut heraus. Es versucht nachzuahmen, was es von uns gehört hat. Es merkt sich all das und verbindet diese vielen Eindrücke zu einem Netz von Informationen.

Allererste Unterhaltungen

Die ersten Unterhaltungen bestehen auf der ganzen Welt aus Lächeln, Lauten und Grimassen. Bekommt ein Neugeborenes etwas zu trinken, wenn es danach schreit, so versteht es schon nach ein paar Tagen etwas sehr Schönes: Ich kann mit Stimme etwas verändern. Neugeborene suchen unseren Blick, wenn wir nahe genug sind. Nach ein paar Wochen üben Babys und Eltern oft schon am Wickeltisch, wie wir uns in vielen Kulturen beim Sprechen abwechseln. Ein paar Monate später beginnt das Kind zu lallen. Es wiederholt oft Laute wie »dada« oder »gaga«, und dieses Plappern wird in allen Kulturen beobachtet. Kurz vor dem ersten Geburtstag kommen dann andere Laute dazu, und wir können so etwas wie »dadu« oder »bada« hören. Einige Laute hören wir sehr oft, andere sehr selten – und zwar wurden die gleichen Laute in so unterschiedlichen Sprachen wie Englisch, Maya, Luo, Japanisch, Chinesisch, Hindi, Deutsch, Arabisch und Lettisch beschrieben![13]

Hören Kinder plötzlich mit dem Plappern fast ganz auf, dann lassen wir ihr Gehör unbedingt untersuchen. Hörschwierigkeiten müssen sofort behandelt werden. Dann gibt es ausgezeichnete medizinische Möglichkeiten und das Kind lernt sehr gut sprechen. Werden Hörschäden nicht behandelt, leidet die Sprachfähigkeit sehr.

Mehr und mehr setzt sich in den Folgemonaten das Geplapper aus den Lauten der Sprachen zusammen, von denen unser Liebling umgeben ist. Zwischen dem sechsten und dem zwölften Monat beginnen Kinder, die Laute in ihren Umgebungssprachen zu unterscheiden, und reagieren viel weniger auf Laute aus anderen Sprachen. Sechsmonatige englische Babys haben zum Beispiel in einer Untersuchung Hindi-Laute unterschieden. Mit zwölf Monaten konnten sie das nicht mehr.[14]

Wörter

Im zweiten Lebensjahr bringt das Kleinkind die ersten Wörter heraus. Wenn wir Glück haben, ist das »Mama«, aber auch »Auto« kommt oft vor. Langsam baut unser Schatz dann einen Grundstock von etwa 50 Wörtern auf. Das hat er meist um den zweiten Geburtstag herum geschafft. Bis zum vierten Geburtstag kommen immer mehr Wörter dazu.

Achte auf das Ende!

Es scheint, als gelte auf der ganzen Welt die Kinderregel: Achte auf das Ende!

Luisa liebt es, sich Bücher anzugucken. Dann zeigt sie auf die Bilder und sagt etwas: »-ama« ist ein Pyjama und »-ata« kann nur marmellata bedeuten, denn sie zeigt unmissverständlich auf den Marmeladentopf.

Elke Montanari

Kinder scheinen besonders viel Aufmerksamkeit auf das Ende zu richten und das merken sie sich dann besonders gut.

Sätze

Zuerst werden Äußerungen aus einem Wort gebildet (wie »Mama!« etwa), die vieles heißen können: Ich brauche dich; da ist die Mama!; wo ist sie?; komm her; das gehört meiner Mutter und vieles mehr. Zwischen 18 und 24 Monaten werden die Äußerungen doppelt so lang: Zwei Wörter werden kombiniert wie bei »Dani Tasse!«. Wieder ist in diesem kurzen Satz Platz genug für ein ganzes Universum an Bedeutungen: Danis Tasse ist heruntergefallen; das gehört mir; ich möchte etwas trinken; das sieht aus wie meine Tasse und mehr. Bald werden die Sätze länger und es kommen immer mehr Wörter hinzu. Mit zweieinhalb Jahren beginnt der Aufbau einfacher Sätze, zwischen vier und zwölf Jahren wird dann an den Feinheiten gefeilt. Wenn schon Kinder so viel Zeit brauchen, um eine Sprache zu beherrschen, ist es kein Wunder, dass es für Erwachsene eine lange Plage ist.

Fragen lernen Kinder in vielen Sprachen in dieser Reihenfolge: Wo? Was? Wer? Wie? Warum? Wann? Wahrscheinlich hängt das mit ihrer Entwicklung des Denkens zusammen. Wo etwas ist, verstehen Kinder sehr früh, aber um »warum« oder »wann« zu fragen, müssen sie schon viel von der Welt begriffen haben.

Meiner spricht früher als deiner

Die Reihenfolge der Lernschritte ist für alle Kinder ziemlich gleich. Sie erledigen diese Schritte jedoch in einer breiten Zeitspanne. Ein Kind beginnt früher, ein anderes interessiert sich mehr für das Laufen und geht das Reden mit großer Ruhe und Monate später an. Das sagt nichts darüber aus, wer am Schluss mehr oder besser spricht oder wer intelligenter ist. Es ist nur eine Momentaufnahme.

Ich sag noch nicht viel – aber ich verstehe

Das Verstehen eilt mit großen Schritten dem Reden voraus. Mit zwei Jahren können wir beobachten, wie unsere Jüngsten das gewünschte Buch, Spielzeug, Plüschtier bringen, lange bevor sie dessen Namen selber aussprechen. Auch vorher scheinen sie schon viel zu verstehen – aber was genau in ihrem Köpfchen vorgeht, bleibt uns oft ein Rätsel.

Zwei Lerntypen

Nicht alle Kinder interessieren sich für das Gleiche: Viele beginnen mit Nomen: Haus, Auto, Mama, Papa und so weiter. Andere beginnen mit Partikeln:

Luisa verwöhnte mich zwar ausgiebig mit »Mama«, aber sonst sagte sie Wörter wie »auf«, »ab«, »mehr«. Jetzt mit fast zwei redet sie über Gefühle wie: »Isa böse!«, doch über Gegenstände selten. Sie macht alles nach, und ihre Satzmelodie ist verblüffend. Auch wenn ich kein Wort verstehe, ich merke, sie fragt mich etwas.

Elke Montanari

Wir gehen von zwei Lernertypen aus. Der erste wird analytisch genannt, weil die Kinder ihre Kenntnisse wie aus Bausteinen zusammensetzen. Der zweite heißt ganzheitlich, weil es scheint, die Kinder orientieren sich mehr am Ganzen als an seinen Teilen. Selten treffen wir Kinder an, die einem Typ genau entsprechen; wir können uns das wie blonde und braunhaarige Menschen vorstellen, mit jeder Menge Schattierungen dazwischen. Bei zweisprachigen Kindern wäre es interessant zu klären, ob sie vielleicht sogar eine Sprache nach dem ersten Typ und die zweite nach dem anderen erwerben.[15]

Bei meiner eigenen Tochter scheint genau das der Fall zu sein. Zuerst sagte sie deutsche Wörter. Kaum Namen, dafür viel mehr Bewegungsausdrücke wie auf, zu, hoch. Wie sie meine Melodie nachahmt, hat mich von Anfang an erstaunt. Klarer Fall für eine ganzheitliche Herangehensweise, dachte ich. Und auf Italienisch? Da sagt sie nur Wörter wie orso – Bär, ata – marmellata – Marmelade, ama – pigiama – Pyjama ... Könnte ich nur das wahrnehmen, würde ich sie als genau den anderen Lernertyp einstufen.

Elke Montanari

Wie kann das gehen? Eine mögliche Erklärung ist: Luisa hat schon erste Erfahrungen mit dem ganzheitlichen Weg auf Deutsch gemacht. Dabei hat sie gelernt, dass wir unsere Äußerungen zusammensetzen. Dieses Wissen benutzt sie gleich für das Italienische.

Der Baukastenfreund oder analytische Lerner

- Benutzt viele Nomen wie Mama, Papa, Auto, Bär
- Kennt einzelne Wörter
- Benutzt viele Adjektive wie groß, schwer, heiß
- Interessiert sich für Objekte

»Ich geh aufs Ganze« – der ganzheitliche Lerner

- Verwendet viele Partikel wie hoch, auf, zu, weg
- Kennt formelhafte Ausdrücke
- Ahmt viel nach, manchmal ganze Wortketten
- Benutzt weniger Adjektive
- Imitiert sehr gut Melodie
- Interessiert sich für Personen[16]

Typisch für mehrsprachige Kinder:
Wir denken über Sprache nach

Dass wir uns bei der Unterhaltung abwechseln, wissen schon Säuglinge. Doch erst Sechsjährige denken normalerweise über Sprache nach. Wir werden darauf aufmerksam, wenn sie über Sprache reden, mit ihr spielen, sich für Witze und Ausdrücke in Bildern interessieren. Bei mehrsprachigen Kindern kann das bedeutend früher sein:

Mein Sohn Alessio und sein Freund Mike sprechen zusammen Deutsch. Mike verwendet Chinesisch zu Hause, mein Sohn Italienisch. Beide sind zweisprachig. Sie spielen mit Pfeil und Bogen.

Mike: Gib mir mal.
Mike: Di gan lu, lu, gell?

Alessio: Wer immer nur »gell« sagt, der ist ein Idiot.
Mike: Machen hier alle gell, kannst du hier totmachen, ge?
Alessio: Mann war nix.

> Mike ist bei der Aufnahme vier Jahre und zwei Monate alt,
> Alessio drei Jahre und zehn Monate.

Die beiden haben ihren hessischen Mitbürgern gut zugehört, nicht? Eine erstaunliche Diskussion darüber, wie in ihrer Umgebung geredet wird, vor allem angesichts des Alters der kleinen Beobachter: Vier Jahre! Jetzt ist Alessio fünf und seit drei Monaten erfindet er Reime und vergnügt sich mit Wortspielen, die er selbst erfindet. Mehrsprachige Kinder entwickeln oft früh ein Bewusstsein von Sprache. Sie erfahren von klein auf, dass es viele Möglichkeiten gibt, etwas auszudrücken.

Lernen unsere Kinder Englisch, Türkisch und Arabisch
gleich schnell?
Sie lernen schneller, was sie besser durchschauen können. Türkisch beherrschen oft Zweijährige schon sehr gut, denn es hat ein besonders klares System. Kinder schaffen das Unmögliche sofort, Wunder dauern etwas länger: Besonders Schwieriges braucht etwas mehr Zeit. Im Arabischen ist der Unterschied zwischen Einzahl (wie Tisch) und Mehrzahl (also zwei Tische) sehr komplex. Kinder brauchen bis zu zwölf Jahren, um das ohne Fehler zu beherrschen.

Das heißt also, dass ein Kind etwas in einer Sprache schon fehlerfrei sagen kann, während es das in der anderen noch nicht kann. Oder es verblüfft uns mit Sätzen, die wir bei einsprachigen Kindern viel später erwarten. Die dafür nötigen Informationen sind vielleicht in der anderen Sprache so gut verständlich, dass es sie auf unsere Sprache übertragen hat.

Von Meilensteinen, durchgeschnittenen Fotos und Wegen

Wir können den Spracherwerb als das Erlangen von Meilensteinen beschreiben. Etappen werden zurückgelegt.

Fehler – oder Meilensteine?

Piero hat mir das Buch gegebt!«

Giovanna, viereinhalb Jahre

»Schau mal, die Haarspange ist total vergebiegt!«

John, fünf Jahre

Manchmal erkennen wir bei genauem Hinsehen, dass das Kind gerade einen neuen Meilenstein seiner Entwicklung bewältigt, wie hier bei Giovanna und John.

Wenn wir genau hinhören, merken wir: Sie benutzen die Regel bereits richtig. Wir bilden »sagen-gesagt«, »packen-abgepackt«, »siegen-gesiegt«. In der Regel benutzen die Kleinen erst Wörter, die sie gehört haben, sie sprechen nach. Das tun sie ziemlich fehlerfrei, eben so, wie sie es von uns gehört haben.

Dann wagen sie den nächsten Schritt. Sie werden selbst aktiv. Wenn sie eine Idee von der Regel haben, probieren sie sie selbst aus. Sie wenden sie jetzt auf völlig neue Worte an, ganz alleine und ohne Hilfe! Klar, dass das manchmal klappt und manchmal nicht. Es gibt keine Regel ohne Ausnahme, und so ist das beim Sprechen auch. Ausgerechnet bei »verbiegen« heißt es »verbogen« und nicht »verbiegt« wie sonst. Im ersten Moment denken wir vielleicht: »Oh, das ging doch bisher besser? Hat sie etwas verlernt?!« Im Gegenteil. Die Regel wenden die Kinder schon an. Als nächsten Schritt lernen sie die Sonderfälle. Diese neuen

Schöpfungen stellen keinen Rückschritt dar, sondern den großen Sprung vom Nachsprechen zum Selberformen. Vielleicht können wir das mit dem Laufen vergleichen: Pit krabbelt sicher und schnell. Als er anfängt zu laufen, fällt er oft auf die Nase. Trotzdem hat er einen großen Schritt nach vorn getan.

Die beste Reaktion darauf ist Loben und etwas zu sagen wie: »Du hast Recht, wir sagen: ›Ich habe gesagt‹ oder ›gekauft‹. Aber bei ›geben‹ ist es anders: Es heißt ›gegeben‹. Aber zurück zum Thema: Wo ist das Buch, das Piero dir gegeben hat?«

Wir können daher zunächst eine Zeit lang korrekte Sätze hören – während die Kinder nachsprechen. Dann tauchen die »Fehler« auf. Sie sind ein Zeichen dafür, dass die Kleinen selbst schöpferisch werden und die Regel anwenden. Nach und nach lernen sie dann die Ausnahmen und sagen mehr und mehr Wörter korrekt.

Ab welchem Alter unterscheidet unser Kind die Sprachen?

Vor dem zweiten Geburtstag nehmen wir oft schon wahr, dass unser Goldstück gut unterscheidet. Es reagiert verwundert oder ärgerlich, wenn wir uns ihm in einer ungewohnten Sprache zuwenden.

Doch dabei stellen wir nur etwas fest, was beinahe schon ein Jahr alt ist! Bereits gegen Ende des ersten Lebensjahres unterscheiden die Zwerge die Laute ihrer Umgebungssprache, aber andere nicht. Wir bemerken es jedoch nur in wissenschaftlichen Untersuchungen und nicht zu Hause. Zwischen dem dritten und fünften Geburtstag übersetzen sie gern für uns:

Stef (viereinhalb) zu Maria: »Κοίτα τι ωραίο δέυτρο που έκανα!«, dann zu mir auf Deutsch: »Ich hab ein schönes Baum gemacht, guck!«[17]

Anja Leist im zweisprachigen Kindergarten Athen

Wir merken dann, dass sie uns eine Sprache zuordnen. Dann verbessern uns auch die Kleinen, wenn wir mal in die falsche Sprache gerutscht sind: »Mama, du musst Deutsch mit mir reden, nicht Italienisch!«

Von Äpfeln und Birnen

In vielen Punkten lernen mehrsprachige Kinder das Sprechen genauso wie einsprachige – aber nicht in allen. Deshalb sind Vergleiche von ein- und mehrsprachigen Kindern oft zu einfach gedacht. Manches lernen mehrsprachige Kinder besonders schnell, weil das gerade bei ihrer Sprachenkombination gut deutlich wird. Vieles können sie von einer auf die andere Sprache übertragen, das können Einsprachige nicht. Manches müssen sie besonders gründlich untersuchen, weil es in der einen Sprache ähnlich, aber eigentlich doch wieder ganz anders ist.

Ganz klar ist: Mehrsprachige Kinder sprechen nicht später. Wann uns die ersten Wörter geschenkt werden, liegt in einer großen Zeitspanne, in der mehrsprachige Kinder absolut inmitten liegen. Einige reden sehr früh, andere später, wie alle anderen Kinder auch. Sie zeigen genauso viele oder wenige Auffälligkeiten wie Einsprachige.

Ein durchgeschnittenes Foto?

Wollen wir wissen, was ein mehrsprachiges Kind kann, so müssen wir seine Fähigkeiten in allen Sprachen zusammen betrachten. Erst dann erhalten wir ein vollständiges Bild. Alles andere ist, als würden wir ein Foto durchschneiden und nur eine Hälfte anschauen. Das ist auch interessant, zeigt aber nur einen Teil und vielleicht fehlt sogar das Wichtigste.

Genau das geschieht jedoch häufig, wenn mehrsprachige Kinder beurteilt werden, sei es durch Verwandte, Nachbarn oder Fachleute. Auch Beurteilungen wie »perfekt in Japanisch und Deutsch« sind nicht korrekt, denn welcher Vierjährige spricht perfekt? Keiner! Erwachsene übrigens auch nicht – ich weiß jedenfalls nicht die Namen aller Teile eines Telefons, um nur mal ein Beispiel zu nennen. Und wie perfekt beherrscht der Urteiler das Japanische? Na ja ...

Genauer sind Beobachtungen von Eltern: zum Beispiel, ob das Kind etwas holt, wenn sie es bitten, ob es kurze Gespräche führt, ob bestimmte Fehler immer wiederkommen. Mehr darüber finden Sie im Abschnitt »Fachleute« (Seite 77ff.).

Ein ganzes Bild von unserem Kind erhalten wir nur, wenn wir alle Fotostücke zusammenlegen und seine Fähigkeiten in sämtlichen Sprachen zur Kenntnis nehmen.

Auf dem Weg

Sprechen lernen ist ein Weg, eine ständige Bewegung. Es gibt keine festen Punkte. Um im Bergbild zu bleiben: Unsere Wanderer machen Pausen, aber sie bauen kein Haus, um sich niederzulassen. Sie klettern, fahren immer weiter, nach oben, zur Seite, durch sonnige, neblige oder regnerische Abschnitte, und bei Glatteis rutschen sie sogar ein Stück bergab. Aber insgesamt klettern sie immer weiter nach oben.

Wenn wir über ihr Können oder ihre Fehler nachdenken, über unsere Weise miteinander zu reden oder zu spielen, dann beziehen wir uns immer auf eine Entwicklung. Vieles wird sich in den nächsten Wochen und Monaten ändern, allein schon deshalb, weil das Kind reift und sein Denken ausbildet. Das gilt auch für relativ große Kinder: Bestimmte Denkstrukturen werden erst mit sieben, acht Jahren, andere mit etwa zwölf Jahren erworben.

Was wir heute beobachten, ist eine Momentaufnahme. Vielleicht spricht der Altersgenosse der zweijährigen Sarah schon viel mehr, aber das sagt nichts darüber aus, wie sich das bei Schuleintritt verhält. Philipp lehnt mit acht Jahren sein Arabisch völlig ab? Mit zwölf sieht das vielleicht ganz anders aus, er hat sich weiterentwickelt, und zufällig ist sein bewunderter Fußballtrainer aus Ägypten.

Momentaufnahmen sagen daher nur in Grenzen etwas aus. Viel wichtiger ist die Frage: Geht es voran? Gibt es Fehler, die schon sehr lange gleich bleiben? Darüber sollten wir sprechen. Die vierjährige Nasi kann noch nicht alle Laute? Das ist nicht so ein Problem, aber lernt sie Laute dazu? Wird sie besser?

Wird der Unterschied zu Altersgenossen zu groß, dann sollte ein Kinderarzt oder eine Logopädin befragt werden. Vielleicht kann das Kind ein paar Übungen gut gebrauchen, die den Weg weisen.

Für uns Eltern ist es wichtig zu verstehen, dass Spracherwerb ein Prozess ist, ein Weg, ein »work in progress«. Wir gewinnen dadurch Spielräume. Wenn wir in schwierigen Momenten dabei bleiben, weiter die zweite Sprache präsent halten, auch nur minimal, nicht aufgeben, dann brauchen wir nur zu warten. Die Situation wird sich ändern. Nichts bleibt gleich. Das eröffnet uns immer wieder neue Chancen. Was heute aussichtslos aussehen mag, ist in ein paar Monaten mit Sicherheit anders.

Zusammengefasst

Zuerst wiederholen Kinder das, was sie hören. Dabei machen sie kaum Fehler. Wenn sie von einer bestimmten Regel eine Vorstellung haben, probieren sie sie selbst aus. Das ist ein großer Gewinn. In dieser Zeit hören wir mehr Fehler als vorher. Wenn die Kleinen nach der Regel auch die Ausnahmen beherrschen, nehmen die korrekten Ausdrücke wieder zu. Um den zweiten Geburtstag herum beobachten wir, dass die Kleinen zwei Sprachen unterscheiden.

Wollen wir die Fähigkeiten eines mehrsprachigen Kindes betrachten, so müssen wir berücksichtigen, was es in allen seinen Sprachen kann. Wir erhalten dann eine Momentaufnahme, die aber noch wenig über den Verlauf sagt oder wo das Kind einmal ankommen wird.

Wann sollten wir uns an Fachleute wenden?

Die meisten Kinder lernen gut sprechen. Der Spracherwerb ist ziemlich unanfällig und klappt meistens. Mehrsprachige Kinder machen da keine Ausnahme.

Manche Kinder können dabei etwas Unterstützung gut gebrauchen, zum Beispiel durch Fachleute, die sich auf Spiele mit Sprache spezialisiert haben. Sie heißen Logopädinnen. Sie sind so etwas Ähnliches wie Krankengymnastinnen für die Sprache. So wie eine gute Gymnastik uns lockert, damit wir uns wieder gut bewegen können, so lösen Logopädinnen manche »Sprachknoten« auf.

Einige Kinder hören nicht alles. Das können Kinderärzte und Ohrenärzte feststellen. So früh wie möglich sind diese Unterstützungen am wirksamsten: Kleine Kinder lernen besonders schnell, manches scheinen sogar nur sie lernen zu können. Ob unser Kind gut hört, kann ab dem ersten Lebensmonat gemessen werden! Die beste Behandlung beginnt im ersten Lebenshalbjahr. Die Untersuchung kostet wenig, etwa 15 Euro. Vielleicht ist alles in Ordnung; andernfalls kann so eine frühe Therapie bewirken, dass das Kind später hört und spricht wie alle anderen.

Schon ab zwei Jahren können Kinder mit Logopädinnen spielen und lernen. Manchmal wird behauptet: »Dreijährige sind zu klein« oder »Der ist zweisprachig, das kommt später«. Wenn ich so etwas höre, dann suche ich mir eine Fachfrau oder einen Fachmann mit mehr Erfahrung.

Eine sehr gute Logopädin in Frankfurt hat mir erzählt, dass manche Eltern nicht gern zu ihr kommen. Sie empfinden das als Makel. Wir finden das schade, denn es ist ein Luxus, ein Geschenk für das Kind. Wenn das Kind das S richtig kann und gut spricht, fragt keiner, was vor fünf Jahren war. Aber über einen Sprachfehler wird die ganze Schulzeit gelacht.

Was sollte das Kind können?

Der folgende Fragebogen wurde in Toronto erarbeitet, von den Toronto Preschool Speech and Language Services. Den kanadischen Kollegen herzlichen Dank für die freundliche Erlaubnis zur Übersetzung und Veröffentlichung. Sie finden sie im Internet unter www.tpsls.on.ca, dort gibt es den Fragebogen auch in englischer Sprache. Ein paar Anregungen habe ich noch eingefügt.

Weil frühe Erkennung so wichtig ist, sind hier viele Fragen für sehr kleine Kinder aufgeführt. Wenn Sie alle Fragen in der Altersgruppe mit Nein beantworten, sollten Sie sich an eine Kinderärztin oder einen Hals-Nasen-Ohrenarzt wenden. Bitte warten Sie nicht.

Drei Monate
Reagiert das Kind auf ein plötzliches Geräusch? Wendet es sich zu der Geräuschquelle? Macht es Laute? Sieht es Sie an, wenn Sie mit ihm sprechen? Lächelt es zurück?

Sechs Monate
Produziert das Kind verschiedene Laute? Sucht es Ihre Aufmerksamkeit, indem es Sie ansieht und Laute macht? Produziert es Geräusche und lächelt als Antwort auf Ihren Gesichtsausdruck?

Neun Monate
Streckt das Baby die Arme aus, damit Sie es hochnehmen? Reagiert es auf den Namen? Lallt es (wie »Bababa«, »Gaga«)? Plappert es, wenn es alleine spielt? Dreht es sich um, wenn es Sprache hört? Gefällt es dem Baby, wenn Sie mit ihm spielen? »Antwortet« es mit Geräuschen und Lauten? Versteht es »Nein«? (Realistischerweise verlangt ein moderner Test nicht mehr, dass Babys tatsächlich ein Verbot beachten – aber hält es kurz inne?)

Zwölf Monate

Zeigt das Kind auf Dinge in der Umgebung? Benutzt es Gesten wie »winke-winke« oder macht sie nach? Teilt es mit, wenn es etwas will, und benutzt dabei sowohl Laute als auch Aktionen? Bringt es Spielzeuge, um sie zu zeigen oder mit Ihnen zu spielen? Versteht es einfache Sätze wie »Komm bitte«, »Nicht anfassen«?

Fünfzehn Monate

Sieht Sie das Kind normalerweise an, wenn Sie sprechen? Wiederholt es Wörter? Scheint es so etwas wie Sätze zu benutzen, auch wenn keine Wörter vorkommen? Sagt es ein oder zwei Wörter? Versteht es einfache Fragen oder Aufforderungen wie »Nimm den Schwamm«, »Wo ist der Ball?«?

Achtzehn Monate

Sieht das Kind erst Sie an und dann das, worüber es spricht? Benutzt es »Nein«? Sagt es etwa zehn Wörter? Versteht und benutzt es die Namen von gewohnten Gegenständen wie Ball, Licht, Bett, Auto? Antwortet es manchmal auf die Frage »Was ist das?« Wechselt es sich im Spiel mit einem Partner ab? Benutzt es Spielzeuge?

Zwei Jahre

Zeigt das Kind auf Körperteile? Benutzt es Adjektive wie hungrig, dick, heiß? Benutzt es Zwei-Wort-Sätze wie »Luisa Durst« oder »Keks haben«? Stellt es Fragen wie »Was'n das?«? Hört es gern einfache Geschichten an? Kann es m, b, p, d, f, l, n, t, w richtig aussprechen?

Drei Jahre

Befolgt das Kind zwei kombinierte Aufforderungen wie »Geh bitte in die Küche und hole deinen Becher«? Nimmt es an kurzen Unterhaltungen teil? Benutzt es Sätze mit drei oder mehr Wörtern? Erzählt es von Dingen in der Vergangenheit? Stellt es Warum-Fragen? Verstehen Menschen, die nicht zur Familie gehören, etwa die Hälfte von dem, was Ihr Kind sagt?

Vier Jahre

Spricht das Kind in ganzen Sätzen, ähnlich wie Erwachsene? Kann es eine Geschichte verständlich erzählen? Fragt es viel? Fragt es Wer-, Wie- und Wie-viele-Fragen? Benutzt es »ich«, »du«, »er« und »sie« korrekt? Beginnt es eine Unterhaltung und bleibt eine Zeit lang am Thema? Benutzt es Sprache, um Spielsituationen herzustellen wie »Du wärst jetzt ein Arzt und ich ...«? Kann es schwierige Konsonanten wie R richtig aussprechen? Verstehen Personen außerhalb der Familie etwa drei Viertel des Gesagten?

Fünf Jahre

Erklärt das Kind, wie ein Gegenstand gebraucht wird? Fragt es »wann« und »warum«? Redet es über vergangene, zukünftige und vorgestellte Ereignisse? Nimmt es an langen und detaillierten Unterhaltungen teil? Bildet es die Sätze meist richtig? Kennt es die Farben? Bildet es alle Laute richtig? Verstehen Nicht-Familienmitglieder fast alles, was das Kind sagt?

Sprechen Sie mit dem Kinderarzt, wenn

● Sie im Zweifel sind über die Sprach- oder Hörentwicklung,
● die Hör- und Sprachfähigkeiten sich seit sechs Monaten nicht verändert haben,
● das Kind oft Laute oder Wörter wiederholt und Sie fürchten, es stottert,
● seine Stimme sich merkwürdig anhört,
● das Spiel und die Interaktion mit anderen unangemessen erscheinen.

80

Nobody Is Perfect: Ein offenes Wort über Fachleute

Niemand ist vollkommen und Irren ist menschlich, und das gilt auch für Kinderärzte, Lehrer und Erzieherinnen. Mehrsprachigkeit kommt oft in der Ausbildung oder dem Studium nicht vor. Danach kommt die Praxis, die Erfahrungen werden mehr, aber die Zeit fehlt, um die neuesten Forschungsberichte durchzuarbeiten.

Oft ist es genau das Richtige, einen Kinderarzt zu befragen und das Gespräch mit dem Lehrer, der Erzieherin zu suchen. Doch wenn ich Ratschläge erhalte, die meinen eigenen Empfindungen entgegenstehen – dann atme ich tief durch und denke erst mal nach. Meistens höre ich mir dann eine zweite Meinung an und suche jemanden, der Erfahrung mit mehrsprachigen Kindern hat. Es sind viele gute und richtige Tipps erteilt worden, aber auch einige, nach denen sich die Eltern besser nicht gerichtet haben.

 Zusammengefasst

Wenn Sie auf alle Fragen einer Altersstufe auf den Seiten 78-80 mit Nein antworten, dann lohnt es sich, schnell einen Besuch beim Kinderarzt oder bei einem Hals-Nasen-Ohrenarzt zu verabreden. Oft sind sie die richtigen Ansprechpartner. Da Mehrsprachigkeit in der Ausbildung jedoch bisher nicht vorkommt, sind auch sie manchmal überfragt oder verlassen sich auf ihr Alltagswissen.

Wie reden wir?

Wie wir uns an Babys wenden

Vor der Wiege haben mein Mann und ich oft gescherzt, unser Schatz wird denken:»Was sind das für alberne Wesen vor mir! Sie ziehen Grimassen, reden im Singsang und sagen Wörter wie ›dadada‹! Wo bin ich hingeraten ...«. Kaum sehen wir ein kleines, süßes Bündel, scheinen unsere Gefühle mit uns durchzugehen. Männer und Frauen, mit und ohne eigenen Nachwuchs, sogar Geschwister und ihre Freunde – wir alle scheinen wie ausgewechselt. Was ist das?

Es ist eine wunderbare Fähigkeit, die wir anwenden, ohne es zu merken! Wir stellen uns darauf ein, was Neugeborene und Säuglinge am besten können. Und wir tun das unbewusst. Würde uns ein Experte einen Zettel mit Anweisungen geben wie: Sprechen Sie langsam! Wiederholen Sie! Übertreiben Sie die Satzmelodie! Machen Sie überdeutliche Gesten, Grimassen! – wir könnten es nicht durchhalten. Aber mit dem Gefühl geht es ganz leicht.

Babys hören noch anders als wir. Sie nehmen hohe Stimmen besser wahr. Darauf gehen Menschen in der ganzen Welt, in vielen Kulturen ein. Typisch ist: Wir reden höher und langsamer als gewöhnlich, übertreiben die Satzmelodie, benutzen kurze und einfache Sätze, wiederholen oft, fragen viel, benutzen Gesten und Mimik – wir reden mit Händen, Körper und dem Gesicht.

Besonders die Veränderungen in der Tonhöhe und der Melodie wurden in verschiedenen Kulturen nachgewiesen.[18] Mütter und Väter, Kinder und Menschen ohne eigenen Nachwuchs stellen sich so auf die Fähigkeiten der neuen Erdenbürger ein. Diese besondere Sprache, in der wir uns an Kinder richten, heißt im Fachausdruck Kindgerichtete Sprache.

Irgendwann hören wir von selbst damit auf. Im Gespräch mit Zweijährigen sind die Unterschiede zur Erwachsenensprache noch deutlich, mit Fünfjährigen sprechen wir nicht mehr höher und langsamer.

Doch trotzdem sind wir nicht immer gleich: Wenn es schnell gehen soll, benutzen wir eine einfache Sprache. Zum Beispiel: »Zieh die Socken an! Hand weg! Bah! Nicht anfassen!« Das ist gut zu verstehen, und unser Süßes kann es gleich ausführen. Wenn unser Schatz sich anziehen soll, kommt es uns vielleicht gerade darauf an. Mehr lernen kann unser Kind dagegen, wenn wir ein reicheres Angebot machen, wie beim Spielen oder besonders beim Lesen und Bücherbetrachten. Dann reden wir mehr, die Sätze sind länger: »Schau, das ist ein Traktor. Siehst du die Kühe? Wie macht eine Kuh?«

Besonders einfach reden wir gewöhnlich:
beim Anziehen, Baden, Essen.

Etwas reicher:
bei freiem Spiel und ersten Gesprächen.

Am reichsten:
beim Bücheranschauen.[19]

Wir können das verändern. Beim Anziehen können wir erklären, was wir tun: »Das ist der Arm, jetzt schlüpft das Füßchen durch das Hosenbein« – und schon ist diese lästige Tätigkeit ein Spiel, wir bieten mehr Sprache an und vergnügen uns beide. Machen wir aus dem Anziehen oder Baden ein Spiel, dann reden wir auch mehr. Wir bieten mehr an, was gelernt werden kann.

Bücher sind unsere Trumpfkarten beim Lernen: Für uns, weil wir mit ihnen unsere reichste Sprache verwenden. Für die Kleinen, weil sie Bilder und Worte verbinden. Je öfter wir zusammen lesen, desto besser.

Für viele Sprachen ist es schwierig, Bücher zu erhalten. Es lohnt sich

- im Internet zu suchen,
- sie bei anderen Eltern auszuleihen, deren Kinder schon größer sind, oder
- selbst kleine Bilder zu zeichnen.
- Auch deutsche Bücher sind geeignet, um über die Bilder in einer anderen Sprache reden.

Das Lieblingsbuch meiner Söhne war lange Zeit eines über die Berliner Feuerwehr. Mein Mann erzählte es ihnen auf Italienisch. Da sie es jeden Abend durchblätterten, entwickelten sie eine lustige Geschichte nach den Bildern. Eines Abends las meine Freundin Marianne den deutschen Text vor. Die Kinder verbesserten sie dauernd und waren sehr unzufrieden, denn – meine Freundin las alles »falsch«, das war nicht »ihre« Geschichte!

Elke Montanari

 Zusammengefasst

Babys hören anders als wir. Wenn wir unserem Gefühl folgen, kommen wir ihnen entgegen: Wir reden höher, langsamer. Diese Kindgerichtete Sprache benutzen Menschen auf der ganzen Welt. Mit der Zeit hören wir von alleine wieder auf.
Beim Baden, Essen und Anziehen reden wir eher einfach. Am ausgefeiltesten ist unsere Unterhaltung, wenn wir gemeinsam Bücher anschauen.

Der gute Anfang

Ich bin Französin, mein Mann ist Schwabe. Im Mai kommt unser erstes Kind – wann sollen wir mit den beiden Sprachen anfangen?

Marie, Stuttgart

Heute schon, schon in den Gedanken, in den ersten Gesprächen mit dem Baby im Bauch. Es hört uns schon! Gleich nach der Geburt erkennt unser Neugeborenes dann wieder, was es schon von vorher kennt.

Was ist besser – gleichzeitig oder nacheinander?

Sollte unser Kind vielleicht erst eine Sprache lernen und dann die zweite?

John, deutsch-englisches Paar,
das erste Kind ist unterwegs, Berlin

Es ist für alle besser, wenn wir einmal eine gute Wahl treffen und dann dabei bleiben. Sprachwechsel sind für alle unangenehm und schwierig. Kinder können entweder von Geburt an gleichzeitig oder nacheinander zwei Sprachen lernen. Man kann nicht behaupten, eine Art sei besser als die andere – sie sind nur verschieden. Für Paare mit zwei Sprachen wie bei Marie oder John ist es in der Regel richtig, von Geburt an, oder besser schon davor, beide Sprachen mit dem Baby zu reden. Wenn dagegen die gesamte Familie eine andere Sprache als die Umgebung spricht, also etwa Englisch in Deutschland, dann werden Sohn und Tochter am besten die ersten Schritte auf Englisch tun und die späteren auf Deutsch, z.B. im Kindergarten.

85

Wie führe ich Mehrsprachigkeit bei einem größeren Kind ein?

Der eigene Mut ist gewachsen, ein Umzug, ein Partnerwechsel – all das kann in uns den Wunsch entstehen lassen, einen späteren Weg in die Mehrsprachigkeit zu unternehmen oder es noch einmal zu versuchen.

Vorsätze wie »Ab morgen nur noch Englisch« sind selten erfolgreich. Sie schaffen eine unerträgliche Situation. Die Kinder werden oft sehr verunsichert und ängstlich. »Warum spricht Mama so, dass ich nichts verstehe?«, fragen sie sich. Es wirkt wie ein Vertrauensbruch auf sie. Sinnvoller ist es, nach und nach mit dem Neuen Freundschaft zu schließen.

Je älter das Kind ist, desto genauer kann es unsere Gründe verstehen. Dafür sollten wir uns viel Zeit nehmen. Der Schatz, zu dem die neue Sprache das Tor ist, sollte immer präsent sein: tolle Spiele, schöne Erfahrungen, interessante Freunde, die Familie. Die besten Gelegenheiten sind ausgedehnte Besuche von oder bei Verwandten oder anderen Einsprachigen. Der Sprachwechsel ist dann natürlicher und alles wird einfacher.

Ich würde gerne wieder mit meiner Tochter Arabisch reden. Das habe ich ganz zu Anfang gemacht, doch dann aufgegeben. Wie kann ich jetzt noch einmal beginnen?

Ein ägyptischer Vater in einem Elternseminar

Wir haben gemeinsam sechs Schritte erarbeitet:

1. Schritt: Wir Eltern

Es ist viel wert, wenn wir zunächst das Vorhaben miteinander besprechen, über Freuden, Ängste (wie: »Dann versteh ich nichts«) und Wünsche reden. Vielleicht finden wir einen gemeinsamen Weg.

2. Schritt: Hören und wie gewohnt darüber reden

Wir hören mit unserem Kind zusammen Lieder in der neuen Sprache an oder schauen Filme. Zuerst dauert das nicht länger als fünf Minuten, eine Woche später zehn. Etwas später lesen wir mal eine kurze Geschichte und schauen ein Bilderbuch zusammen an. Der Clou dabei ist: Das Gespräch darüber findet noch in der gewohnten Sprache statt. Am effektivsten sind kurze und regelmäßige Einheiten – also etwa zehn Minuten jeden Tag.

Die anderen Gespräche laufen am besten genauso wie immer, denn unser Familienleben geht ja weiter.

3. Schritt: Erste Wörter

Nach einiger Zeit singen wir ein Lied zusammen oder lernen einen Vers. Kurze Fragen können Spaß machen: »Wie heißt das Tier auf Französisch?« Die Übungszeiten können etwas länger werden, je nach Alter des Kindes zwischen 15 und 30 Minuten. Wir passen auf, wann die Konzentration unseres Kindes absackt – dann hören wir auf. Immer noch benutzen wir die gewohnte Sprache, aber langsam bekommen wir »den Fuß in die Tür«.

4. Schritt: Kleine Unterhaltungen

Wenn das Liedsingen schon klappt, können wir mal ein kurzes Gespräch versuchen, zum Beispiel »Gute Nacht« – »Schlaf gut«. Wenn das erfolgreich war, dann üben wir ein zweites, ein drittes, und langsam reden wir immer mehr Französisch ...

Jeden geringsten Fortschritt loben wir begeistert. Dafür stecken wir Äußerungen wie »Dazu hab ich jetzt keine Lust« möglichst mit Gleichmut weg. Bei einer neuen Freundin sind wir ja auch vorsichtig, oder?

5. Schritt: Neue Gelegenheiten

Wenn wir uns mit unserem Kind schon in der zweiten Sprache verständigen können, dehnen wir die Gelegenheiten aus: Beim Essen, beim Spaziergang, beim Gute-Nacht-Sagen benutzen wir immer mal einen Satz in unserer Sprache. »Anbieten und beobachten« lautet das Motto. Wenn unsere Tochter, unser Sohn mit einer Antwort reagieren, einem Lächeln, einem Nicken, dann war das der richtige Moment.

6. Schritt: »Baden«

Jetzt kann das Bad in Situationen gesucht werden, in einem Restaurant, bei einem Fest, einem Urlaub. Das Gefühl »Schwimm oder geh unter« sollte vermieden werden – die bisher gewohnte Sprache darf immer weiter benutzt werden.

Vielleicht braucht die Tochter des ägyptischen Vaters eine Weile, bis sie ihr erstes Wort sagt. Doch wenn sie beginnt zu verstehen, haben beide eine gute Strecke geschafft.

 Zusammengefasst

Wenn das Baby noch unterwegs ist, können wir schon in unseren Gedanken in mehreren Sprachen mit ihm reden. Doch auch später ist ein Beginn möglich, am besten in sechs Schritten: Wir Eltern – Hören und wie gewohnt darüber sprechen – Erste Wörter – Kleine Unterhaltungen – Neue Gelegenheiten – »Baden«.

Zaubermittel

Es gibt ein paar einfache Mittel, die wirken wie Zaubertränke ...

Wie die Kinder meiner Freundin Barbara reden, ist phänomenal. Der Kleine sitzt noch im Kinderwagen und kennt schon alle Farben. Wenn der Große, der auch erst drei ist, den Mund aufmacht, mache ich meinen zu – vor Staunen. Wie macht sie das nur?

Wir gehen zusammen auf den Spielplatz. Sie ist Journalistin, wir reden über Bücher. Da kommt der dreijährige Nils und fragt nach einer Schaufel. Sofort wendet sich Barbara ganz ihm zu, etwas anderes scheint es für sie jetzt gar nicht zu geben. »Welche Schaufel meinst du, die rote oder die grüne?«, fragt sie. »Die rote mit dem gelben Griff«, antwortet Nils. »Bitte«, meine Freundin gibt sie ihm. »Möchtest du auch den Rechen?« »Nein, den brauche ich nicht«, und Nils rennt weg. Wir suchen den Faden unseres Gespräches.

Elke Montanari

Ganz aus dem Gefühl heraus spricht Barbara mit ihren Kindern so, dass sie besonders viel von ihr lernen können.

Zuhören und ausreden lassen

Wenn die Kinder mit ihrer Mutter sprechen, spüren sie: Sie gibt mir Zeit. Sie hört zu, bis ich fertig gesprochen habe. Alle Aufmerksamkeit ruht auf mir.

Zuhören, das Kind anschauen, sich Zeit nehmen: Das lohnt sich hundert Mal. Wenn der Moment gerade sehr ungünstig ist, auch später: »Weißt du, wir gehen gerade über die Straße. Wir reden darüber, wenn wir drüben sind ... (angekommen:) So, was war jetzt im Kindergarten?«

Ermutigen

Barbara führt das Gespräch voran: Sie fragt nach (»Welche Schaufel, die rote oder die grüne?«). Wenn sie etwas nicht versteht, sagt sie: »Bitte erkläre es mir noch einmal, ich habe dich nicht verstanden.« Sie greift das Thema der Kinder auf und führt es weiter: »Welche Schaufel möchtest du? Brauchst du auch einen Rechen?« So hält sie das Gespräch in Gang.

Hinwenden und anschauen

Wir zeigen es, wenn wir uns jemandem zuwenden; wir sehen ihm oder ihr in die Augen, und umgekehrt auch. Für die Kleinen ist das ein Signal: Jetzt schenken sie mir ihre Aufmerksamkeit.

Es kommt noch etwas hinzu, das für uns Erwachsene keine Rolle spielt. Die Kurzen wollen sehen, wie wir unsere Lippen halten, die Zunge bewegen, die Wangen anspannen, um genau dieses D herauszubringen, wie es in Wolof, Französisch oder Deutsch richtig ist. Sie müssen beobachten, wie wir unseren Mund bewegen, schließlich wollen sie die Laute ja nachmachen.

Sich zurücknehmen

Barbara gibt selbst wenig vor. Wenn Erwachsene alles mundfertig vorbereiten, so dass ein Kind nur nicken muss, warum sollte es dann sprechen?

Von diesen Mitteln gibt es noch mehr:

Gelegenheit geben, über sich hinauszuwachsen: Verbessern ermutigen

Verschiedene Forschungen zeigen, dass Kinder das Gesagte gern verbessern und zeigen, was sie können. Das tun sie, wenn sie dazu ermutigt werden:

Lina: Ball!
Vater, wendet sich zu ihr: Wie bitte? Kannst du es bitte noch einmal sagen? Was ist mit dem Ball?
Lina: Ball weg!
Vater: Wo ist der Ball weggekommen?
Lina: Ball ist weggerollt, den Berg runter!
Vater: Gut, Lina! Wir holen ihn.

Das klappt gut in einer entspannten Situation, wenn das Kind sich frei fühlt, etwas zu probieren.

Geheimrezept

Jetzt verrate ich Ihnen ein Geheimrezept, das immer wirkt: Loben.

Den Worten Taten folgen lassen

Wir alle kennen das Gefühl: Da haben wir geredet und geredet und – nichts. Das nächste Mal bin ich still, denken wir uns, statt meinen Atem zu verschwenden. Folgen dagegen unseren Worten die Taten auf dem Fuße, dann genießen wir unseren Erfolg.

Die Kurzen sind da nicht anders. Kommt auf ein »Darf ich nicht doch noch ein Stück Kuchen haben, bitte?« eine süße Belohnung für den schön gebauten Satz, dann hat sich das Reden gelohnt. Bleibt es beim »Nein«, dann war das Formulieren vergeblich.

Lassen wir also den Worten unseres Lieblings Taten folgen, vor allem in der schwachen Sprache. Wir belohnen die Anstrengung und lassen das Kind die Macht seiner Worte erleben, wo es möglich ist. Wir holen den Teddy, weil Jill so schön gefragt hat; wir schenken Maria unsere Aufmerksamkeit, weil sie gerade etwas erzählen will, und lassen so lange alles andere liegen.

Verbessern oder wiederholen?

Eines der nervigsten Erlebnisse – da sagt doch Sohnemann *immer* das gleiche Wort falsch. Zum dritten Mal, noch mit ruhiger Stimme, hören wir uns selbst: »Du, es heißt Frischkäse, mit rrrrr ...« Obwohl wir doch gerade erst eine halbe Minute lang das R gerollt haben. Sohnemann ist jetzt sauer über die Unterbrechung und will gar nichts mehr sagen.

Verbessern ist erschreckend nutzlos. Es funktioniert einfach nicht. Manchmal macht es alles nur schlimmer. Dann erleben wir, was wissenschaftliche Untersuchungen bestätigen: Das übliche Korrigieren stört alle und unterbricht jedes Gespräch. Doch wie dem Kind das richtige Wort zeigen?

Die richtige Technik heißt »verbessernde Wiederholung«. Wir wiederholen das Wort oder den Satz korrekt und führen dabei das Gespräch weiter.

Peter: Will Fischkäse.
Vater: Du möchtest den Frischkäse? Hier bitte. Da ist der Frischkäse. Möchtest du noch etwas?

Hier führt der Vater das Gespräch weiter. Er zeigt, was er verstanden hat und wie viel ihm an den Äußerungen des Kindes liegt. Mit der Wiederholung stellt er die korrekte Form vor. Er und Peter können ihr Gespräch weiterführen.

Das richtige Wort anbieten

Manchmal wissen wir ganz genau, dieses Wort kennt er nicht. Oder wir merken, sie kommt einfach nicht drauf. Ein vorsichtiges Angebot ist dann eine Brücke, mit der so manche Bergspalte überwunden werden kann.

Maryam: Möchte ... (stockt), gib bitte ein ... dings ...
Hanna: Meinst du ein Plätzchen? Das heißt »Plätzchen«.
Maryam: Ja bitte, ein Plätzchen, Plätzchen.
Hanna: Hier bitte, dein Plätzchen.

Hanna bietet Maryam das richtige Wort an – und man merkt, wie dankbar sie es aufnimmt.

Wie wichtig ist die Sprache zwischen den Eltern für das Kind?

Mein Mann und ich unterhalten uns auf Englisch. Mit unserem kleinen Timo spreche ich Deutsch und er Französisch. Schadet das?

Nadia, Köln

Es schadet nicht! Kinder reagieren mehr auf die Sprache, die sie direkt angeht – in der etwas zu ihnen gesagt wird.

Häufig wird geraten: »Sprechen Sie auch untereinander Französisch. Nur die deutsche Mutter sollte auf Deutsch mit dem Kleinen reden. So stützen Sie die schwache Sprache.« So weit, so gut.

Nach einiger Zeit wird jedoch meist deutlich: Der ausländische Elternteil will und muss Deutsch lernen, aber so kann er es zu Hause nicht üben, denn er soll ja in der anderen Sprache reden. Dabei wäre die Gelegenheit so günstig, jeden Tag Fortschritte zu machen ... Es wird schwer, die Landessprache zu lernen und dadurch Arbeit zu finden, das Studium zu verfolgen und sich befriedigend zu verwirklichen, wenn man zu Hause kein Deutsch benutzt. Die Unannehmlichkeiten sind manchmal größer als der Nutzen, der entsteht.

Wenn ich gefragt werde, rate ich, die Sprache zu verwenden, die gut zu der Situation der Familie passt. Tendenziell wird im Laufe der Zeit die Umgebungssprache stärker, das heißt die deutsche Sprache kann leichter wachsen.

Nach dem Nachmittag mit Barbara auf dem Spielplatz habe ich an mein eigenes Reden gedacht – gerade Zuhören ist nicht immer meine Stärke, vorsichtig gesagt. Doch der positive Impuls kam dann: Probieren! Also habe ich mich bemüht, dieses Vorbild umzusetzen. Besonders mein ältester Sohn war in dieser Woche so froh und ausgeglichen wie selten.

Elke Montanari

 Zusammengefasst

Wenn wir

▲ zuhören und ausreden lassen,
▲ Raum geben, ermutigen,
▲ uns zurücknehmen,
▲ Möglichkeiten zum Verbessern schenken,
▲ loben,
▲ den Worten Taten folgen lassen,
▲ Brücken bauen,

schaffen wir ein gutes Klima. Verbessern ist sinnlos, aber verbessernde Wiederholung ist ein gutes Mittel. Für Kinder ist wichtiger, wie wir uns an sie wenden, als die Sprache der Ehepartner untereinander.

Fragen – aber wie?

Es gibt Fragen, auf die es Millionen von Antworten gibt – und auf andere braucht man nur zu nicken. Klar, dass die erste Variante mehr Ansporn ist, zu sagen, was man will, und die zweite Möglichkeit einem geradezu den Atem raubt. Durch gutes Fragen machen wir gute Antworten erst möglich!

W-Fragen:	************ unendlich viele mögliche Antworten
Was möchtest du?	
Wohin gehst du?	
Die möglichen Antworten sind unbegrenzt. Gleichzeitig sind aber W-Fragen für kleine Kinder schwierig, weil sie keine Antwortmöglichkeit vorschlagen. Unser Gesprächspartner muss sich alle Informationen der Antwort selbst überlegen. Eine gute Möglichkeit ist es, zuerst eine W-Frage auszuprobieren und, wenn nötig, einen Oder-Vorschlag nachzureichen: *Was möchtest du?* (Pause) *Lieber einen Saft oder ein Glas Wasser?*	

Oder-Fragen:	******** viele mögliche Antworten
Brauchst du den Eimer oder die Schaufel?	
Isst du lieber Brot oder Nudeln?	
Mögliche Antworten: Ich möchte den Eimer, den Eimer (bitte), Eimer, beides, die Schaufel, Schaufel, bitte eine Schaufel – insgesamt schon acht Möglichkeiten; eine neunte Antwort ist möglicherweise »Ich möchte Kuchen!«.	

Ja-nein-Fragen:	** zwei mögliche Antworten
Möchtest du Tee?	
Willst du einen Apfel?	
Mögliche Antworten: Ja oder Nein Diese Fragen schränken die Phantasie unseres Kindes ein. Sicher wüsste es ungefähr einhundertfünfzig Alternativen zu Tee, und es wäre auch schön, wenn es ein paar von ihnen ausdrücken würde.	

Sprachlos:	null mögliche Antworten
Willst du den Apfel? (Apfel wird gereicht.)	
Kind: *P ...* Mutter: *Du möchtest deine Puppe? Hier ist die Nelli.*	
Hier gibt es keine möglichen Entgegnungen: null.	

Wenn die Großen dem Kind die Wünsche von den Augen ablesen, dann ist das für ein Kind – schrecklich. Es fühlt sich nicht wie ein Prinz, eher wie ein Frosch. Wir helfen unserem Kind, indem wir es zum Reden ermutigen:

Kind: P ...
Mutter sieht es an, beugt sich zum Kind: Bitte sag es noch einmal: P...?
Kind: Pupp ...
Mutter, ruhig, nimmt sich Zeit: Puppe? Möchtest du die Puppe holen? Oder den Teddy?
Kind: Pupp hol!
Mutter: Komm, wir holen die Puppe. Welche Puppe denn, Nelli oder Lala?
Kind: Lala hol!

So zeigt das Kind immer mehr von seinem Wissen.

Je mehr Antworten möglich sind, desto mehr Chancen geben wir. Gerade am Anfang sind W-Fragen manchmal zu schwierig. Dann sind »Oder«-Fragen gerade richtig. Auf Dauer sind offene »W«-Fragen die besten.

Zusammengefasst

Gute Frage – gute Antwort. Die besten Möglichkeiten bieten offene oder »W«-Fragen wie »Wo warst du?«. Sie sind dafür auch recht schwierig zu meistern. Bei »Oder«-Fragen geben wir Möglichkeiten vor. Das macht die Antwort einfacher, aber schränkt die möglichen Entgegnungen ein. Fragen, auf die nur »ja« oder »nein« oder gar keine Antworten nötig sind, hemmen den Sprachfluss.

Wie fällt Lernen leicht?

Lernen = Angebot plus Gefühl

Wir erinnern uns an Dinge, die wir nur einmal kurz gesehen haben – sie haben uns besonders beeindruckt, waren so schön ... Auf der anderen Seite denken wir manchmal: »Habe ich nicht schon hundertmal gesagt ...« und verstehen nicht, warum der andere immer noch nicht das Gewünschte tut. Wiederholungen garantieren offenbar nicht, dass jemand etwas lernt.

Damit unsere Kinder etwas lernen, bieten wir ihnen zuerst einmal unsere Sprache an – wir reden mit ihnen. Doch das ist nicht genug. Sie wollen auch mit den Gefühlen beteiligt sein, wollen sich freuen, beeindruckt sein, Spaß haben. Dann klappt Lernen gut.

Mit dem Gefühl dabei sein

Gefühle sind die magischen Schlüssel. Wenn unser Nachwuchs mit allen Sinnen bei der Sache ist, dann ist er aufnahmebereit. Wir müssen nicht mehr wiederholen, denn er hat das Gesagte ganz aufgenommen.

Gehen wir von dem aus, was wir sehen. Jean spielt gern Fußball und bewegt sich? Wir sehen nicht stundenlang mit ihm Bücher an, sondern üben Französisch auf dem Sportplatz. Das Fußballbuch blättert er dann von alleine durch. Ann liebt Pferde? Beim Pferdemalen erzählen wir vom Reiten gestern und morgen, und sie lernt die Zeiten kennen. Eine Sprache lernen bedeutet ja nur zu einem kleinen Teil, Wörter zu kennen. Wir bauen Sätze, stellen Fragen, antworten mal kurz, mal kompliziert. Das können wir überall üben, wo wir miteinander sprechen, und jedes Thema ist geeignet. Probieren wir es aus!

Sinn haben

Lieber heute einen Ball als später einen Studienplatz! Kleine Menschen wollen mit der Sprache etwas bewirken, das für sie eine Bedeutung hat.

In meinen Seminaren fragen mich Eltern, warum ihre Söhne und Töchter keine Lust auf die zweite Sprache haben. Der Reiz der Bilderbücher scheint verflogen, ein viel versprechender Anfang versandet. Oft stellen wir dann fest: Die Kinder können mit der zweiten Sprache nichts in ihrem Alltag anfangen. Sie wurde zum Selbstzweck, und das haben die Kleinen intelligenterweise begriffen. Wir denken an Ausbildung, Karriere, vielleicht auch an uns, unsere Kultur, Herkunft. Doch wir sind wir und sie sind sie; wir irren, wenn wir das verwechseln. Ermöglichen wir, dass die Kinder mit der Sprache etwas beeinflussen können, was sie interessiert. Dann wecken wir die Lust. Zeigen wir ihnen, für welche Schlösser die zweite, dritte Sprache die Schlüssel sind, was sie mit ihnen erreichen können, hier und heute. Kleine wollen verstehen, dass etwas Sinn macht, genauso wie Große: »Mama, was kann ich heute mit Griechisch Tolles entdecken?«

Peter wächst – unsere Sprache auch!

Wir lernen gut, wenn uns eine Information angeboten wird, die uns ein kleines Stück voraus ist. Eine Aufgabe, die ein wenig schwieriger ist als die vorige; ein Text, der ein paar Wörter mehr enthält als der von gestern. Nicht viel mehr – zu viele neue Informationen auf einmal können wir nicht sortieren. Werden wir von Neuem überschüttet, erinnern wir uns an gar nichts. Zu einfach sollte die Aufgabe auch nicht sein – sonst gibt es ja nichts zum Abschauen. Was wir gestern gelernt haben, ist heute schon bekannt. Etwas Neues muss her.

Wir passen unser Sprechen den Fortschritten unserer Lieben an. Ganz am Anfang wissen sie noch sehr wenig, also vereinfachen wir unsere Rede für kleine Kinder schon aus dem Gefühl heraus. Aus Kindern werden Leute – kommen da unsere Unterhaltungen noch mit? Sind sie auch jugendlich geworden? Bieten wir neue Themen? Oder führen wir im Grunde eigentlich schon länger die bekannten Tischgespräche weiter?

Spätestens wenn aus den Babys Schulkinder geworden sind, sollten wir wieder eine Zeitung in unserer Sprache abonnieren, Radio hören, Bücher lesen – wir tun etwas für unsere Sprache. Wenn wir sie selten außer Haus benutzen, ist das umso wichtiger. Wir suchen uns Bereiche, über die wir normalerweise selten zu Hause reden: Rechnen, Geschichte, Naturwissenschaften. Wenn wir Interessantes zu sagen haben, dann ist unsere Sprache auch noch für unseren zwölfjährigen Teen spannend. Bücher helfen dabei.

Grammatik lernen

An das Pauken von Verb-Endungen erinnern wir uns vielleicht noch aus der Schulzeit. Trotz der Mühe – wir haben das meiste schnell vergessen. Zum Glück müssen unsere Kinder keine Tabellen lernen! Sie verfügen über eine bemerkenswerte Fähigkeit: Sie können die Regeln in dem erkennen, was sie hören. Grammatik begreifen die Kurzen sehr gut im Spiel und in der Unterhaltung. Wir brauchen ihnen nicht erklären, wie eine Frage gestellt wird. Es reicht, wenn wir es einfach tun: »Was isst du gerade?« Wenn sie genug Fragen hören, entschlüsseln sie selber die Grammatik. Daher ist es so wichtig, dass wir mit Kleinen reden – sie lernen nicht nur Wörter, sondern vor allem: Wie baue ich Sprache?

Ab etwa acht Jahren können Kinder auch analytisch lernen, das heißt, dann können sie auch Regeln verstehen. Erst dann macht es Sinn, gemeinsam ein paar Übungen zu machen.

Neues im Bekannten entdecken

Mit Luisa habe ich heute dieses Bilderbuch schon sieben Mal gelesen! Sie bringt es immer wieder an.

Ein erschöpfter Mauro Montanari

Sie ist zwar noch nicht zwei, aber sie macht genau das Richtige. Sie sucht sich etwas Vertrautes, von dem sie schon etwas kennt. So hat sie ein paar Anhaltspunkte in der Geschichte. Daran knüpft sie an und lernt Neues. Vielleicht denkt sie: »Das ist der Topf, das kenne ich. Doch was ist das darunter? Aha, Tisch.« Wie bei einem Fischernetz knüpft sie immer mehr Knoten, merkt sich immer mehr, bis sie ein starkes Netz geschaffen hat.[20] Neues kann sie darin einfügen. Bekannte Verbindungen werden verstärkt: »Wie heißt das? Me…? Da sagt er es, Messer.«

Ähnliche Erfahrungen machen wir auch als Erwachsene. Erfahren wir etwas in kleinen Portionen und so, dass wir es mit Bekanntem verbinden können, ist alles ganz leicht.

Luisa wiederholt nicht das Buch – auch wenn das für den Vater den Eindruck macht. Sie erforscht immer Neues. Also auf ein achtes Lesen!

Reif sein

Wenn wir denken: »Hab ich nicht schon hundert mal …«, dann haben wir vielleicht unsere Goldstücke nicht mit dem Gefühl einbezogen. Oder – die Information ist noch zu weit weg von dem, was sie heute schaffen können. Dann müssen wir nur eines tun: warten, bis der Moment reif ist. So war es zum Beispiel bei uns:

Im Alter von drei Jahren hat Valerio lange Zeit auf Italienisch mit deutscher Grammatik verneint. Es ihm richtig zu wiederholen schien völlig nutzlos, er blieb bei seiner Version. Wir waren schon dabei, uns damit abzufinden. Doch ein Jahr später hat er dann auch diese Hürde gemeistert, ohne dass wir noch darauf beharrt hätten. Er war erst dann reif dafür.

Elke Montanari

 Zusammengefasst

Die bestmögliche Aufgabe ist uns einen Schritt voraus, aber nicht mehr. Sie schließt Gefühle mit ein. Wenn Kleine wachsen, mögen sie es, wenn auch unsere Sprache mitwächst. Grammatik entschlüsseln sie allein. Sie wollen den Sinn sehen – ein Ball heute ist besser geeignet als die Aussicht auf ein Studium. Kinder entdecken gern Neues im Bekannten. Die Zeit arbeitet für uns: Vieles erfassen Kleine, wenn sie reif genug dafür sind.

Vorbilder

Stefan ist auch so

»Du, Mama, der Stefan spricht Russisch zu Hause, und am Samstag geht er in die russische Schule!«, berichtet mein Sohn eines Tages begeistert von seinem neuen Freund. Stefan ist außerdem ein Jahr älter und ein Vorbild.

Als Erwachsene wollen wir gern unsere unverwechselbare Persönlichkeit haben, doch Heranwachsende wollen oft so sein wie alle. Sie wollen die Mechanismen einer Gruppe ausprobieren: Was darf ich, was nicht, was kommt an? Der Einzige zu sein, der mehr kann als die anderen, gefällt den wenigsten Kindern. Das gilt auch für das Beherrschen von zwei Sprachen statt einer.

Dann können wir hundert Mal erklären, wie toll es ist, wenn man sich in Italien allein etwas kaufen kann und die anderen einen um die Übersetzung betteln müssen – es scheint unseren Sprössling wenig zu begeistern.

Für ihn oder sie sind andere Dinge wichtig, zum Beispiel was die Freunde tun. Wir können uns das zu Nutze machen und überlegen, welche mehrsprachigen Freunde und Vorbilder wir kennen. Zuweilen bemerken unsere Kinder nicht, dass in der Klasse noch andere Mehrsprachige sind, im Fußballverein, in der Nachbarschaft. Es lohnt sich, darauf hinzuweisen.

Die besten Erfahrungen habe ich gemacht, als der Freund meines Sohnes Stefan einmal bei uns mitgegessen hat. Ich habe ihn gefragt: »Du kannst Russisch? Sprichst du das mit deiner Mutter?«, und schon begann er zu erzählen. Ich fand es schön, aber vor allem haben er und meine Kinder fasziniert entdeckt, dass sie so eine wichtige Gemeinsamkeit haben. Dabei fiel Valerio auf, dass sein Musiklehrer auch Russisch spricht, und so kam noch ein weiteres zweisprachiges Vorbild in sein Bewusstsein.

In den Pausen spreche ich Türkisch, weil meine beste Freundin in die gleiche Schule geht, und mit ihr rede ich immer auf Türkisch. Weil ... ich weiß es nicht ... wenn du den ganzen Tag Deutsch sprichst, dann brauchst du schon mal ab und zu ein bisschen Türkisch.

Asuman[21]

Mehrsprachige Vorbilder wie Trainer, Ballettlehrerinnen, Musiklehrer und beste Freunde sind ein Gewinn für die Erziehung. Das können Menschen mit der gleichen Sprachenkombination sein. Doch auch Mehrsprachige mit anderen Kombinationen zeigen: Du bist nicht der Einzige, wir sind viele.

Manchmal gelingt es sogar, Spielgefährten einer Sprache zu treffen, vor allem bei Englisch und Französisch. Informationen über Krabbel- und Spielgruppen in Ihrer Nähe können Sie bei der

Interessengemeinschaft mehrsprachiger Familien ImF e.V. erfahren unter der Netzadresse www.mehrsprachige-Familien.de.

Es öffnet den Kindern Türen, wenn sie andere Zweisprachige treffen. Sie treffen sich auf einer Hochebene, der metasprachlichen Ebene. Hier wird über Sprache nachgedacht. Sie verstehen, dass es viele und gleichwertige Sprachen gibt, dass man das Gleiche unterschiedlich ausdrücken kann, dass viele Menschen mit mehreren Sprachen leben. Sie entwickeln ein Bewusstsein dafür.

Auch wir Erwachsene werden weniger als Marsmenschen wahrgenommen, wenn im Alltag andere Mehrsprachige einen Platz haben und die Kinder das bemerken. Dazu gehören auch Idole, Rennfahrer, Popstars, Fußballer und Königinnen. Wenn Michael Schuhmacher im Fernsehen Italienisch spricht, bietet er eine Identifikationsfläche der besten Art: freundlich, erfolgreich, Gewinner und – mehrsprachig.

Berühmte Mehrsprachige

- Samuel Beckett: Englisch, Französisch; Nobelpreis für Literatur 1969
- Joseph Conrad: Englisch, Französisch, Polnisch
- Marie Curie: Französisch, Polnisch
- Mahatma Gandhi: Englisch, Guarathi, Hindi
- Christoph Kolumbus: Italienisch, Portugiesisch, Spanisch
- Madonna: Amerikanisch, Italienisch
- Mickymaus: Über 20 Sprachen!
- Roman Polanski: Polnisch, Englisch
- Michael Schuhmacher: Deutsch, Englisch, Italienisch

 Zusammengefasst

Mehrsprachige Vorbilder erleichtern uns alles! Die beste Freundin, der Fußballtrainer, die Musiklehrerin, der Popstar, sie alle zeigen unseren Nachkömmlingen: Es gibt viele von uns. Auf die gleichen Sprachen kommt es dabei gar nicht so an.

Spiele

Kochen, erzählen, kneten, singen, basteln – all das gehört zum Lernen dazu. Diese Spielideen haben eines gemeinsam: Sie schaffen Gelegenheiten für Gespräche. Damit diese möglichst reich sind, spielt am besten ein Erwachsener mit, der nicht auf den Mund gefallen ist. Spaß machen die Spiele natürlich auch unter Kindern. Der Lerneffekt ist dann eben geringer. Hier ein paar Vorschläge:

Lieder

Musik, die Verbindung von Melodie, Rhythmus und Worten – eine wunderbare Brücke zu einer neuen Sprache. Eines kann das andere ergänzen, wo ich Wörter nicht kenne, summe ich mit, die Schwellen sind niedrig, jeder kann mitmachen. Das sind die Vorteile von Liedern, Abzählreimen und Tänzen.

Fingerspiele verbinden die Berührung der Finger mit Worten und dem Spaß, den das macht. Gerade dabei werden viele Sinne angesprochen und aktiviert.

Den Text des neuesten Superhits abzuhören und aufzuschreiben kann für Teens ein toller Grund zum Schreiben sein. Bei Festen wie Geburtstagen oder Weihnachten können sie allen zeigen, wie mehrere Sprachen dazugehören.

Doch – der Nutzen in einem Gespräch ist begrenzt. Ich erinnere mich noch gut an die Erfahrung, »Sur le pont d'Avignon« singen zu können und beträchtliche Schwierigkeiten beim Kauf eines Brötchens in Paris zu erleben. Lieder kennen erhöht nicht die Kommunikationsfähigkeit. Anders gesagt, nur durch sie lernt man nicht sprechen und nicht verstehen. Sie sind ein schöner Einstieg, eine feine Pause, machen Spaß und sind dafür unersetzlich. Sie sind erste Schritte. Aber danach sind weitere nötig, Gespräche, Vorlesen, Spielen in der Sprache und vieles mehr.

Kim-Spiele

Bei allen Kims dürfen die Kinder Gegenstände erraten, die sie nicht sehen – durch Riechen, Befühlen oder Schmecken. Alles Mögliche ist geeignet! Dabei sollte möglichst viel gesprochen werden (»Wie fühlt sich das an? Glatt, rau, spitz? Welche Temperatur hat es? Warm? Lau?«). Die Gegenstände sind abgedeckt oder den Kindern werden die Augen verbunden, was jedoch nicht alle mögen. Für Kleine ist es eine Hilfe, wenn sie die Dinge vorher ein paar Minuten sehen dürfen.

Riech-Kim

Orangen, Käse, Seife, Knoblauch – all das darf mit verbundenen Augen am Geruch erkannt werden. Ein Superspiel, um Adjektive zu üben – scharf, süß, streng, angenehm ...

Fühl-Kim

Unter einer Decke liegen ein Bauklotz, eine Bürste, ein Buch, ein Stück Holz, ein Stein. Sie dürfen befühlt und erraten werden. Prima, um Formen und Oberflächen zu beschreiben – glatt, spitz, eckig, rund ...

Socken-Kim

In Strümpfe werden Linsen, Bohnen, Sand, Salz, Nudeln gefüllt. Reingreifen und sagen, was du fühlst! Hierbei können sehr schön Vergleiche geübt werden: Größer/kleiner, feiner/gröber ...

Wie im wirklichen Leben

Was sagt man auf der Post? Wie heißt das Obst auf dem Markt? Was kaufen wir ein? All dies können wir gut zu Hause tun:

Der Marktstand

Mit Knete formen wir verschiedene Obstsorten: rote, runde Äpfel, gelbe, längliche Bananen. Ganz von selbst dreht sich alles um Formen und Farben. Bald eröffnen wir den »Markt« und spielen

Verkäufer und Kunde. Mit größeren Kindern können wir eine Waage holen und über Gewichte und Zahlen sprechen. Nehmen wir noch selbst gemachtes oder gekauftes Spielgeld in Dollar, Euro oder Yen dazu, üben wir auch das Bezahlen und Rechnen in der Währung.

Kaufmannsladen
Was brauchen wir für mein Lieblingsessen? Reicht das Geld für drei Äpfel? Ist das Brot frisch? Zahlen, Rechnen, Verhandeln und die Namen der Lebensmittel lernen wir nebenbei bei diesem Spieleklassiker.

Wohin mit dem Brief?
Gerade Schulkindern macht ein Postkasten viel Spaß. Mit selbst gemachten oder gekauften Formularen auf Englisch oder Französisch wird das Schreiben ein interessantes und lustiges Spiel. Als Postbeamte fragen wir nach Zahlen und Werten: »Welche Briefmarke brauchst du?« »Die zu 51 Cent!«

Besonders geeignet für Kinder, denen wir Schreiben und Lesen in beiden Sprachen schmackhaft machen wollen. Dazu können wir bei unserem nächsten Besuch Originalformulare mitbringen.

Das Gleiche geht natürlich auch mit Eisenbahn, Bauernhof und Puppenstube. Auf das Gespräch dabei kommt es an.

Bei einem Thema verweilen

Am besten können wir uns etwas merken, dem wir in einer ähnlichen Situation schon begegnet sind. Wir können uns dann auf das Neue konzentrieren, werden nicht von Informationen überflutet und erschlagen. Wir können gut verstehen, die Bauweise von Sätzen begreifen, neue Wörter erschließen. Weil uns schon einiges bekannt ist, fühlen wir uns sicherer. Wir können uns das Gelernte besser merken, denn was uns wieder begegnet, können wir leichter vom Kurzzeit- in das Langzeitgedächtnis retten.

Geht das denn, über Wochen und Monate ein Spiel verfolgen? Anknüpfen an das gestern Gesagte, heute Erlebtes morgen weiterführen, Diskurse über Tage verfolgen? Ja, sehr gut sogar! Themen, für die sich Kinder lange begeistern können, sind z.b. Piraten oder Tiere.

Liebe geht durch den Magen

Gemeinsames Kochen ist immer ein tolles Erlebnis! Hier verbinden wir Sprache, Kultur, Arbeiten mit Hand und Herz und den Genuss beim Essen miteinander. Beim Wiegen wird gerechnet, die Zutaten werden gelesen – eine Rundumlektion, die auch noch lecker ist.

Der Hit: Bücher

Preiswert, handlich, dabei super zum Lernen – dieses kostbare Wundermittel ist alt und wir kennen es alle. Vom Buch ist die Rede. Haben Kinder viel mit Gedrucktem zu tun, so sprechen sie deutlich besser. Warum?

- Untersuchungen haben bestätigt: Die Sprache der Eltern ist am reichsten, interessantesten und vielfältigsten beim Lesen oder Betrachten von Geschichten.[22]
- Bei Erzählungen wird am Anfang erklärt, um welche Personen es geht. Dann gibt es eine Handlung, etwas verändert sich. Am Schluss ist ein Zustand erreicht, der Schriftsteller hört nicht mittendrin auf. Alles das lernen Kinder mit. Sie brauchen das für ihre eigenen Erzählungen, zum Beispiel »Heute im Kindergarten hat die Jacqueline ...«.
- Bücher sind verlässlich. Bei jedem Durchblättern erleben wir den gleichen Ablauf. Was wir gestern erahnt haben, können wir heute verstehen. Wir erfahren von der Geschichte und ihren Personen bei jedem Lesen mehr. Verstehe ich die Erzählung ungefähr im Ganzen, kann ich mir Einzelheiten erschließen.

- Kleine können die Bilder auch allein betrachten und ihre Erinnerungen abrufen. Vielleicht führen sie Selbstgespräche dabei und üben.
- Schrift gehört dazu, das wird von klein auf gezeigt. Wenn es dann viele Jahre später ans eigene Schreiben und Lesen geht, sind Buchstaben keine fremden Wesen, sondern gute Freunde.

Theaterspielen

»Seid ihr alle da?« »Ja!« Mit diesen Worten öffnet Kasper den Vorhang und die Geschichte beginnt. Selber spielen, Märchen nacherzählen, eigene ausdenken oder auch nur eine Puppe am Esstisch etwas fragen wie »Was hast du heute Nacht geträumt? Was isst du am liebsten?« – Theater ist ein wunderbares Mittel, sprechen zu üben, zu verstehen und gleichzeitig etwas zu tun, zu fühlen. Puppen, Marionetten oder Zeigefinger sind gleich geeignet. Für größere Kinder sind Theatergruppen, Krippenspiele, die Einstudierung einer kurzen Szene für den Englischunterricht oder den italienischen Nachmittag optimale Gelegenheiten, mit Siebenmeilenstiefeln den Sprachberg zu erwandern.

 Zusammengefasst

Tolle Spielmöglichkeiten sind

▲ Handpuppen
▲ Lieder
▲ Kims
▲ Rollenspiele wie Markt, Post
▲ Spiele, die über längere Zeit bei einem Thema bleiben
▲ Kochen
▲ Bücher
▲ Theater

Sie bieten jede Menge Redestoff. Am wirksamsten sind sie, wenn Kinder und Erwachsene zusammen spielen und dabei ausgiebig erzählen.

Wie wichtig sind Lesen und Schreiben?

Keine Frage, von Finnland bis Südchile gehört Schrift zum Leben. Ausnahmen gibt es, aber nicht viele.

Fehlerfreies Schreiben zu lehren ist eine große Aufgabe, meist zu groß für Eltern, die noch andere Kinder, einen Beruf und tausend Dinge zu erledigen haben. Doch einen Anfang können wir machen. Lesen, vielleicht eine Postkarte, einen kurzen Brief, auch mit ein paar Fehlern, das ist machbar!

Gleichzeitig mit der Schule, nacheinander oder verzahnt?

Was günstiger ist, kann im Moment wahrscheinlich niemand ehrlich beantworten. Bei gleichzeitigem Lernen gibt es eine Klippe: Die verschiedenen Sprachen schreiben wir anders. Ein gesprochenes O wird auf Deutsch »oh« geschrieben, auf Französisch »eau«, auf Englisch »augh« und und und. Bei deutsch-türkischen Schülern ist für das Schreiben der SCH-Laut besonders wichtig. Die Unterschiede müssen mitgelernt und mitgeübt werden, dann umschiffen wir diese Klippe gut: Wie schreibst du das auf Deutsch? Wie auf ...?

Wenn diese Unterschiede klar besprochen und geübt werden, sind beide Wege begehbar – sowohl gleichzeitig in beiden Sprachen schreiben als auch erst in der Schule die deutsche, mit acht oder neun Jahren dann die andere Schrift. Oder zunächst mit fünf in der Samstagsschule Chinesisch, dann mit sechs in der Schule Deutsch.

Eigentlich gehen wir ohnehin verzahnt vor. Wenn wir mit unserer Vierjährigen ein türkisches Bilderbuch durchblättern, dann beginnt sie mit dem Lesen bereits. Sie sieht die Buchstaben, vielleicht lesen wir vor, sie merkt sich einen Lieblingssatz. In der Schule stellt dann der Lehrer das deutsche Alphabet vor, und unser Schatz vergleicht mit den türkischen Büchern. Wir erklären, was ähnlich ist und was unterschiedlich. Die zwei Schriften drehen sich dann wie zwei Zahnräder, die einen Motor antreiben.

Wie können wir Neugier wecken?

Wir brauchen nur das zu tun, was jedes Geschäft mit seinen Kunden macht: Wir schaffen einladende Eingänge und dekorieren ein schönes Schaufenster. Wie sieht das in der Praxis aus?

Einladende Eingänge schaffen

Lesen muss nicht mit Büchern beginnen – im Gegenteil. Wir können viele Gelegenheiten suchen, bei denen Schrift vorkommt und am besten auch noch etwas bewirkt. Zum Beispiel: Wir schreiben eine Karte an die Oma, unser Sonnenschein schreibt den Namen selbst. Bald darf es dann AlleinverfasserIn sein. Unter ein sehr schönes Pferdebild schreiben wir »horse« oder »cavallo«. Little Anna geht für uns schon einkaufen? Prima, dann schreiben wir mal einen kurzen Einkaufszettel mit zwei, drei Artikeln, nicht ohne zu Beginn gemeinsam das Gewünschte danebenzumalen. Unsere Tochter hat eine Urlaubsfreundin in ihrer zweiten Sprache? Wir tauschen Adressen aus. Am Anfang helfen wir mit, die Postkarten und Briefmarken haben wir schon mal besorgt, damit es daran nicht scheitert. Faszination Computer? Na schön, also suchen wir ein PC-Schreibspiel in unserer Sprache. Tim möchte die Tante anrufen? »Gern, such doch die Telefonnummer schon mal selbst heraus, unter E...« Gedrucktes gehört zum Alltag. Vorlesen und gemeinsames Betrachten von Büchern kommen dazu.

Wir bauen auf ihre Interessen!

Zuerst sind es große Ereignisse, wenn die ersten eigenen Oster- und Weihnachtskarten an die Großeltern verfasst werden, doch der Reiz verfliegt irgendwann. Wie wäre es, den Sprösslingen eine eigene E-Mail-Adresse einzurichten? Wichtig ist dabei wieder unsere Unterstützung, gerade am Anfang. Wir können zusammen die ersten Mails schreiben, Kontakte anleiern, bis die Korrespondenz von alleine funktioniert.

Schreibfaul bis zum Äußersten, aber Internet-Fan? Auch Websites bestehen zum größten Teil aus Texten, die noch dazu mindestens monatlich aktualisiert werden sollten. Für eine eigene Homepage kann auch die Abneigung gegen das Alphabet überwunden werden, und natürlich ist sie nur mehrsprachig richtig cool. Teuer muss das nicht sein, eine Internet-Adresse kann man ab zwei Euro pro Monat erhalten, Telefonkosten kommen dazu.

Auch Chatrooms funktionieren mit der guten alten Schrift. Wenn wir den Zugang dazu gestatten, schreiben interessierte Kids von alleine jeden Tag – das könnten wir weder mit Druck noch mit Belohnungen erreichen. Allerdings ist ab und zu etwas Kontrolle nötig.

An Kiosks gibt es Hefte mit Texten von Popmusik, für englischsprachige Jugendliche eine Fundgrube. Wenn der Lieblingshit nicht dabei ist, können wir vielleicht zusammen die Worte entschlüsseln und notieren?

Die meisten Menschen öffnen Bücher mit mehr als 200 Seiten erst gar nicht. Also verschenken wir zum Geburtstag keinen Wälzer der Jugendliteratur, sondern vielleicht einen Comic. Dafür suchen wir einen aus, der in der Klasse und unter den Freunden »mega-in« ist. Selbst wenn nur die Bilder angesehen werden, das Auge streift doch die Buchstaben, das eine oder andere Wort wird wahrgenommen. Vor allem wird signalisiert: Schrift ist dabei, gehört dazu, man braucht sie nicht zu fürchten.

Mit Jugendlichen kann auch ein offenes Gespräch Sinn haben. Wenn sie zum Beispiel davon träumen, später in dem anderen Land zu leben, werden sie den Sinn des Lesenlernens schneller begreifen. Der Versuch lohnt sich, und wenn etwas beim Verstand angekommen ist, ist der erste Schritt schon mal getan.

Und die Fähler?

Hierzu gibt es zwei Überlegungen, und nur wir selbst können entscheiden, was für unser Kind das Richtige ist.

Seit einigen Jahrzehnten hat sich in der Lernforschung die Erkenntnis durchgesetzt, dass Wörter auch als Bilder wahrgenommen und gelernt werden. Wir buchstabieren nicht jedes Mal und setzen ein Wort aus den einzelnen Teilen zusammen, wir haben ein Bild im Kopf, eine Gestalt. Daher prägen sich Fehler genauso als Gestalt, als Bild ein, und manchmal haben wir ja sogar den Eindruck, Falsches und Schimpfwörter werden besonders gut gemerkt. Aus diesem Grunde ist es sinnvoll, Irrtümer nicht stehen zu lassen und sie gemeinsam mit dem Kind und freundlich zu korrigieren.

Auf der anderen Seite löst das oft Frustrationen und Enttäuschungen aus. Das schöne Bild wird ruiniert durch die Korrektur, für das fehlende h ist kein Platz, durch das Radieren ist alles verschmiert, jetzt soll ich noch mal anfangen ... Um die Freude am Schreiben nicht zu verderben, müssen wir vorsichtig mit dem Verbessern sein.

Wir Eltern sitzen zwischen diesen beiden Stühlen. Hier hilft nur, das eigene Kind zu beobachten und zu sehen, was es gut verkraftet und was weniger. Nicht jeder Fehler muss geändert werden – manchmal reicht es, die richtige Schreibweise auf einem Extrablatt zu notieren und zu sagen: »Schau, ganz richtig wird es so geschrieben. Welche Unterschiede siehst du? Bitte merk dir das. Deine Karte kannst du trotzdem so lassen.«

Wer kann uns beim Schreibenlernen helfen?

Lehrer natürlich! Mehr über Samstagsschulen, muttersprachlichen und bilingualen Unterricht finden Sie im Abschnitt »Mehrsprachige Schulformen« ab Seite 152.

Zusammengefasst

Lesen und Schreiben sind keine Sahnehäubchen, sondern gehören zu fast allen Kulturen hinzu. Ein Schild, eine Speisekarte lesen, eine Postkarte schreiben – das sind erreichbare Ziele. Das Schreibenlernen zweier Schriften kann gleichzeitig oder nacheinander geschehen. Besonders wichtig sind die Unterschiede zwischen den Schriften. Ähnlichkeiten können zu Fehlern führen.

Wie lernt mein Kind gut Deutsch?

Zwei Räder eines Fahrrads

Elena muss sehr gut Deutsch lernen – sie soll die Schule schaffen, eine gute Ausbildung bekommen!

Ein griechischer Vater aus Bern

In der politischen Debatte sieht es manchmal nicht so aus, doch ich meine, in diesem Punkt sind wir uns alle so einig wie in wenigen: Alle dürfen, sollen, müssen die deutsche Sprache möglichst gut erwerben. Nur so können sie an allen Bereichen des Lebens teilnehmen, mitreden, Zeitung lesen, verstehen, diskutieren, und nur so können Kinder ihre Ausbildungschancen wahrnehmen.

Die unterschiedlichen Meinungen betreffen eher das Wie. Das ist auch eine politische Diskussion, die sich um Begriffe wie Zusammenleben, Multikulturalität, Integration, Anpassung, Toleranz (was ja so positiv nicht ist, toleriert zu sein ...) und vieles mehr drehen.

Betrachten wir einmal sprachliche Gesichtspunkte: Viele Untersuchungen und Theorien sprechen dafür, dass Kinder beim Erwerb *einer* Sprache auch vieles lernen, was *alle* Sprachen betrifft. Max spricht seine ersten Sätze, aber außerdem hat er verstanden, dass es so etwas wie Sätze gibt. Irgendwie muss klar sein, wer etwas tut und was er tut, zum Beispiel »Ball rollt!«. Das gilt im Deutschen so wie in den anderen Sprachen – sogar wenn wie im Italienischen der Handelnde nicht extra gesagt werden muss. Max lernt also nicht nur viele Wörter, sondern auch die Tatsache, dass es Grammatik gibt. Dieses Wissen kann er sehr gut benutzen, um eine zweite Sprache zu lernen. Und das tut er! Auch Erzieherinnen bestätigen:

Ich mache immer wieder diese Erfahrung: Wenn die Kinder mit ihren Eltern Türkisch, Koreanisch oder was auch immer sprechen, dann lernen sie bei mir schnell die deutschen Wörter, um mitmachen zu können. Schwieriger ist es eher bei den Kindern, die schon zu Hause ein falsches Deutsch reden oder bei denen überhaupt wenig gesprochen wird. Da meine ich manchmal, es geht kaum voran.

Martha, Erzieherin einer Kindertagesstätte in Hannover

Viele Erfahrungen aus einer Sprache können Kinder für eine andere nutzen. Dann machen sie manchmal so große Fortschritte, dass wir es kaum glauben können. Wenn Max also schon ganz gut korrekte Sätze bauen kann, begreift er schnell, wie das auf Französisch, Deutsch oder Chinesisch funktioniert.

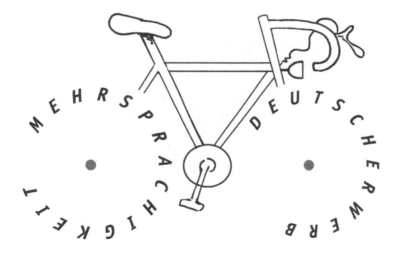

Wie bei einem Fahrrad kommen mehrsprachige Kinder gut voran, wenn sich beide Räder drehen.

Beide Räder sind rund, haben keine Beulen.	Beide Sprachen werden gut gelernt.
Die Reifen werden aufgepumpt.	Gespräche, Kommunikation sind die Luft zum Aufpumpen! Anreize gibt es in beiden Sprachen, und das auf Dauer.
Löcher werden geflickt.	Wissenslücken werden gefüllt, es gibt immer neue Informationen, z.B. durch Bücher, Gespräche, Zeitschriften.
Kein Rad wird gebremst oder blockiert.	Jede Sprache wird geschätzt und darf gesprochen werden.

Ein Mehrsprachenrad kann viele Formen haben. Auf einem Fahrrad mit einem großen und einem kleinen Rad kommt man sehr gut voran; man kann Profil- und Rennreifen kombinieren, sich das eigene Gefährt zusammenbauen. Wer die Bequemlichkeit liebt, bevorzugt vielleicht ein Liegerad. Räder mit drei Rädern sind besonders stabil und fallen nicht um.

Was bedeutet das für unseren Alltag? Damit unsere Kinder möglichst gut die deutsche Sprache lernen, brauchen wir nicht auf unsere zu verzichten. Im Gegenteil. Je besser unsere Söhne und Töchter eine Sprache erworben haben, desto leichter ist der Zugang zum Deutschen für sie. Wir helfen ihnen am besten, wenn wir möglichst viel unsere Sprachen mit ihnen sprechen.

Zusammengefasst

Deutsch lernen und Mehrsprachigkeit sind wie zwei Räder eines Fahrrads. Sie stören sich nicht, sondern mit beiden Rädern kommt man am besten voran. Vieles, was ein Kind in einer Sprache lernt, kann es für sein Deutsch nutzen.

Kein Deutsch zu Hause?

Wenn Deutsch bei uns zu Hause nicht vorkommt – wo lernen es die Kleinen dann? Dafür gibt es viele Möglichkeiten:

Im Kindergarten

Was können unsere Krümel dort lernen, was nicht?

Von den Spielkameraden lernen sie eine altersgerechte Sprache. Anders gesagt: Von einem Vierjährigen lernen sie, wie eben ein Vierjähriger spricht. Mit allen Vor- und Nachteilen: Für zentrale Ausdrücke wie Tierlaute, Motorgeräusche, Automarken oder Modeausdrücke sind Kids ideale Lehrer.

Schwieriger wird es, soll auch Grammatik gelernt werden, z.B. »Wie frage ich richtig?«. Dergleichen kommt in Spielen selten vor, mal abgesehen von den Formeln »Das ist meins« und »Hier war ich zuerst«. Um komplexe Formen zu lernen, brauchen die Kinder jemanden, der sie ihnen sagt: Erwachsene oder Teens. Es ist nicht das Gleiche, ob Klein Eric wie die anderen auf dem Spielteppich herumtobt und brummt oder ob er auch komplizierte Dinge auf Deutsch ausdrücken kann. Er muss nicht wie ein Professor reden, aber ganze Sätze sollte er richtig beherrschen. Oft bemerken wir erst in der Schule, wenn Kinder das nicht können – auf den ersten Blick klappt ja alles so perfekt, sie spielen zusammen, verstehen sich, streiten ...

Wie viel Sprache von Großen angeboten wird, ist in den Einrichtungen sehr unterschiedlich. In manchen Kindergruppen wird vorgelesen, die BetreuerInnen sprechen und spielen mit. Dann hören die Kleinen viele Sätze, die sie lernen können. In anderen Einrichtungen wird der Schwerpunkt darauf gelegt, dass die Kinder möglichst viel unter sich regeln, vielleicht sind die Erzieherinnen ohnehin überlastet. Dementsprechend weniger Gespräche zwischen Groß und Klein finden statt.

Lernen Ganztagskinder mehr? Nach meiner Beobachtung nicht, vor allem, wenn am Nachmittag wenig gesprochen wird und hauptsächlich freies Spiel stattfindet, die Kurzen also viel unter sich sind.

Auf Kindergarten, Krabbelstube oder Kinderladen können wir uns also in diesem Punkt nicht blind verlassen.

Bei der Tagesmutter, der Oma?

Wenn sie viel erzählt und liest, ist sie eine gute Lehrerin, und Opa kann das natürlich auch. Vielleicht können wir das bei einem Gespräch herausfinden. Wie viele Kinder betreut sie? Bei einem oder zwei Kindern wird sie mehr mit ihnen reden, als wenn sich sechs oder acht Kleine vergnügen.

Wenn wir unserem Wildfang beim Spielen zuhören, stellen wir fest: Lernt er Deutsch bei der Tagesmutter? Kann er mehr als vor einem Monat? Bildet er längere Sätze?

Die Spielstunde

»Prima, heute kommt Laura!«, freut sich Melanie. Laura ist zwölf und spielt mit ihr Puppenhaus, Werkzeugbank, Memory und vieles mehr. Die fünfjährige Melanie freut sich immer auf die Mittwochnachmittage mit der Großen.

Eine Spielstunde ist mein Vorschlag, um Deutschlernen zu fördern: So ein lustiger Nachmittag ist ein schöner Unterricht! Vorausgesetzt, Laura hat selbst Spaß an der Unterhaltung. Sitzt sie wie ein Fisch daneben und bringt kein Wort heraus, ist ein gesprächsfreudiger Teen geeigneter. Wenn wir eine Spielstunde von früh an regelmäßig einmal pro Woche organisieren, wird sie Früchte tragen. Etwa ab drei Jahren ist so eine Spielfreundin willkommen – und wir haben eine oder zwei Stunden Zeit für uns. Jede Schülerin ist geeignet, vielleicht etwa ab 14 Jahre. Sie kann mit unserem Schatz reden, lesen, Bilderbücher anschauen, kleine Geschichten mit Puppen oder Fingern spielen. Hauptsache, beide sprechen miteinander und zwar Hochdeutsch. Diese Mitspielerin sollte daher selbst sehr gut sprechen. Mein Tipp: Wenn wir die Zimmertür offen lassen und uns ruhig verhalten, bekommen wir mit, was drinnen läuft.

Selbst Deutsch sprechen?

Die meisten Familien benutzen deshalb kein Deutsch zu Hause, weil es nicht ihre erste Sprache ist. Heute geben Wissenschaftler wie Ärzte die Empfehlung ab: Bei der Sprache bleiben, die wir am besten können, in der wir hundert Prozent weitergeben. Es gab zu viele Eltern, die den Kindern zuliebe Deutsch wählten – und zu viele Kinder, die deshalb Fehler lernten, die sie später nicht mehr ablegten. Wenn Eltern zu Hause die deutsche Sprache üben wollen, so können sie das gern unter sich tun – aber besser nicht mit dem Kind. Sonst lernt es viele Fehler mit.

Viele Tipps für gutes Lernen finden Sie im Abschnitt »Spiele« ab Seite 104.

 Zusammengefasst

Im Spiel mit Gleichaltrigen lernen Kleine sehr gut die wichtigen Ausdrücke für das Spiel, aber das sind auch »br« und »pft«. Wie man eine Frage oder einen Satz baut, müssen sie von Teens oder Erwachsenen lernen, zum Beispiel durch Vorlesen, Gespräche, im Spiel. Nicht immer kann die Kindertagesstätte das leisten. Manchmal gelingt es der Tagesmutter oder den Großeltern. Eine Spielstunde ist eine gute und lustige Möglichkeit, von klein auf zu üben. Die Eltern selbst bleiben besser bei der Sprache, die sie vollkommen beherrschen. Der Rat »Sprechen Sie Deutsch mit dem Kind, damit es lernt« ist falsch.

Mein Kind antwortet nur auf Deutsch! Was kann ich tun?

Stärken und Möglichkeiten

Der fünfjährige George hat eine englische Aussprache, als wäre er in London geboren und nicht in Dortmund. Auf Deutsch kennt er jedoch mehr Wörter, denn er geht den ganzen Tag in den Kindergarten und spielt mit seinen Freunden. Der Satzbau ist auf Englisch öfter korrekt. Deutsche Nebensätze gelingen ihm noch nicht, aber das ist ja auch nicht einfach.

George hat Stärken in der einen und in der anderen Sprache. In seinem Leben wird sich immer wieder ändern, was er kann. Hören wir genau zu, dann merken wir häufig: Eines klappt in der einen Sprache besser – die Witze sind lustiger oder die Wortwahl ist besser, Sira redet über Rezepte und Essen lieber in der Sprache ihrer Mutter, mit der sie oft kocht.

Papa erklärt die Tiere auf Französisch? Deshalb kann Paul einen »âne« von einem »cheval« unterscheiden, während auf Deutsch noch alle Vierbeiner »Hund« heißen. Vielleicht ist in einer Sprache die Grammatik viel besser entwickelt – weil es die Schulsprache ist zum Beispiel.

Kinder können wunderbar verschwenderisch sein, doch mit Sprache gehen sie ökonomisch um. Sie legen nicht zwei Raster wie zwei dicke, schwere Wörterbücher an. Sie lernen, was sie benutzen, was sie brauchen, was sie berührt.

Mit der Zeit wird die Umgebungssprache gestärkt, in Deutschland also die deutsche. In der gibt es den Unterricht, man spricht sie mit den Freunden, sie ist die Norm und genießt das höchste Prestige.

Starke und schwache Sprache

Verfügen Zweisprachige über eine starke und eine schwache Sprache? Fast, aber nicht ganz: Oft können sie eines in der einen Sprache besser, anderes in der anderen. Wenn sie etwas hauptsächlich in einer Sprache erleben, dann können sie das auch am besten in dieser erzählen.

Das gilt auch für die Grammatik. Es scheint, dass Kinder die leichtere, weniger komplizierte Form früher benutzen. Auf Türkisch sind die Wortendungen viel eindeutiger als im Deutschen? Also beherrscht sie Kemal früher als ihre deutschen Entsprechungen.

Kommt unser Wildfang in die Schule, dann erhält sie oder er dort besonders viele Anregungen. Die Grammatik werden sie, so erwarten wir das jedenfalls, besonders gut in der Schulsprache Deutsch beherrschen.

Wir haben also nicht »eine schwache und eine starke Sprache«, sondern Stärken in einer, andere in der anderen Sprache. Und die »Schwächen«?

Möglichkeiten, nicht Schwächen

»Man lernt nie aus«, besagt eine uralte Volksweisheit. Wir verändern uns. Was wir heute noch nicht im Griff haben, bleiben Chancen zum Lernen. Wir können sie uns wie Felder vorstellen: Manchmal bereiten wir die Erde schon in der Kindheit vor. Wir säen aus – Wörter und Sätze sind die Saatkörner. Zum Keimen brauchen die Körner Regen und Wärme, darauf müssen sie vielleicht Jahre warten. Das sind die Wetterbedingungen, die wir schon beim Sprachberg kennen gelernt haben: Prestige, Einstellung der Umwelt, Freundschaften, Reisen, Lebenssituation und die Zugänglichkeit von Büchern, Kassetten und Spielen.

Dann wachsen erste Pflänzchen – eigene Redeversuche. Aus ihnen können mit der Zeit große Pflanzen werden, doch bis dahin brauchen sie Pflege. Sogar die Wüste blüht, wenn nach Jahren Regen fällt.

Manches schlummert lange in den Kindern, bis sie es aussprechen –
wie Samen in der Erde.

Zusammengefasst

Mehrsprachige entwickeln in ihren Sprachen unterschiedliche
Stärken. Manches können sie in einer besser oder früher, anderes
in der anderen. Welche Sprache sie besser beherrschen, kann
sich während des Lebens immer wieder ändern, z.B. durch einen
Aufenthalt in einem anderen Land.

Zweisprachige, die reden, und solche, die es nicht tun

Während manche flüssig in zwei Sprachen erzählen, scheinen andere kein Wort herauszubringen. Sie antworten nur auf Deutsch, scheinen nicht zu verstehen. »Schade, es hat nicht geklappt bei uns«, seufzen dann die Eltern. Es belastet, wenn das Kind immer nur in der Umgebungssprache antwortet, sich weigert, unsere Sprache zu sprechen, enttäuscht, verletzt, ermüdet. »Welchen Sinn soll das haben?«, denken wir. Geben wir nicht auf! Sprechen wir weiter unsere Sprache. Unser Sohn und unsere Tochter lernen dabei mehr, als sie zeigen.

Lichtblicke gibt es dann doch immer wieder – hat der kleine Jean etwa doch verstanden? Fast unbemerkt holt Ayşe den Tee, den Oma gewünscht hat? Dann verstehen sie also doch etwas. Aber warum antworten sie nie?

Anscheinend gilt: Wenn sie eine Sprache verstehen, brauchen sie sie deshalb noch lange nicht zu sprechen. Sind diese Kinder nicht zweisprachig? Doch, antworten SprachwissenschaftlerInnen. Sie unterscheiden zwei Gruppen:

Mehrsprachige, die sprechen und schreiben

Sie produzieren etwas, Laute, Wörter, Sätze, vielleicht sogar Briefe. Deshalb heißen sie »produktive Mehrsprachige«. Sie drücken sich in allen ihren Sprachen aus. Dadurch bekommen sie Antworten, sie können spielen, sich unterhalten, hören Lob – und ihre Entwicklung geht aufwärts. Ihre Sprachen können die anderen wahrnehmen.

Mehrsprachige, die alles aufnehmen, aber nicht antworten

Aufnehmen nennt man auch rezipieren, deshalb heißen sie »rezeptive Mehrsprachige«. Auch sie nehmen an Unterhaltungen teil – nur reden sie nicht. John versteht offensichtlich und antwortet im richtigen Sinn, doch stets auf Englisch. Mama muss für ihn übersetzen. Gina verschließt sich, sie sagt einfach nichts. Sie wirkt teilnahmslos, vielleicht träumt sie. Nasi hört nicht zu und spielt, aber neulich hat sie Papa das Wasser gereicht, als er es auf Türkisch gesucht hat.

Wenn ein Kind nicht mit Worten antwortet, tut es das vielleicht mit dem Körper – wie Nasi und Ayşe. Es ist sehr wichtig, das zu bemerken und ausgiebig zu loben. Da sie sich nicht an zweisprachigen Gesprächen mit Worten beteiligen, fallen ihre sprachlichen Fähigkeiten nicht auf. Niemand bemerkt sie, lobt sie. Sie bekommen kein Echo – denn sie senden ja keinen Schall aus. Umso wichtiger ist daher ein Lob, wenn sie reagiert haben.[23]

Aslında kızım, Türkçe'nin günlük yaşamda egemen olduğu Almanca'dan farklı bir şey olduğunun bilincinde ve sanıyorum bu farktan ötürü, Türkçe'ye zaman zaman mesafe koyuyor. Ben Türkçe

Meiner Tochter ist es eigentlich bewusst, dass das Türkische etwas anderes als das Deutsche ist, das sie im alltäglichen Leben beherrscht, und ich glaube, aus diesem Grund hält sie ab und zu Abstand konuşurken kendisi çok rahat anlıyor ancak konuşmamakta direniyor. Ben şahsen, onun bu tavrının çocukluk dönemine özgü geçici bir reaksiyon olduğuna inanıyorum. Biraz erişkin çağa geldiğinde, olgunlaştığında, iki dilli ol - manın ayrıcalığını gördüğünde, körpe yaşlarda aldığı Türkçe birikimin meyvesini toplayacağını düşünüyorum. Ben kızım Suna ile, doğduğu günden beri sadece Türkçe konuşuyorum. Babasını bir başka ortamda Almanca konuşurken gördüğünde sıkça yadırgadığını, buna kendince yorum getirmeye çalıştığını sezinledim. Kızım, benim Türkçe konuşmama, sürekli Almanca karşılık verir. Bazen bu iki kanallı iletişim dakikalarca sürer ve hiçbir aksama olmaz. Değişik bir yol olduğu muhakkak. Çünkü, bazen Alman veya diğer ulustan, belki bugüne kadar iki dilli eğitimle pek haşır neşir olmamış insanlar, bu diyaloğa tanık olduklarında merak edip soruyorlar. »Siz Türkçe konuşu-yorsunuz, o Almanca? Nasıl oluyor bu?« diye iletişimin sırrını bilmek istiyorlar. Ben de: »Oluyor işte.

zum Türkischen. Wenn ich Türkisch spreche, versteht sie mich ohne Schwierigkeiten, aber sie besteht darauf, es nicht zu sprechen. Ich glaube persönlich, dass diese Verhaltensweise typisch für die Kindheit ist und vorübergeht. Wenn sie sich dem Erwachsenenalter nähert und reif wird, wenn sie die Privilegien der Zweisprachigkeit wahrgenommen hat, wird sie die Früchte ihrer türkischen Kenntnisse, die sie im Kindesalter erworben hat, ernten, denke ich. Ich spreche mit meiner Tochter Suna seit ihrer Geburt ausschließlich Türkisch. Ich fühlte, dass sie es oft ungewohnt empfand und dies von sich aus zu deuten versuchte, wenn sie ihren Vater zu anderen Gelegenheiten auf Deutsch sprechen hörte. Meine Tochter entgegnet mir ständig auf Deutsch. Manchmal dauert diese Vermittlung in zwei Kanälen mehrere Minuten und es kommt keine Stockung zustande. Es ist ohne Zweifel ein ungewöhnlicher Weg. Manchmal werden Deutsche oder Leute anderer Nationalitäten, die vielleicht bis heute mit der zweispra-

Tıpkı böyle ... Gördüğünüz gibi.« diyorum. Gerçekten istenirse oluyor.

chigen Erziehung nicht viel zu tun gehabt haben, neugierig und fragen mich, wenn sie Zeuge unseres Gesprächs werden: »Sie sprechen Türkisch, sie aber Deutsch? Wie geht denn das?« Sie wollen das Geheimnis der Verständigung erfahren. Ich sage: »Es geht. Genauso ... wie Sie sehen. Wenn man will, geht es doch.«

Mehmet und seine zwölfjährige
Tochter Suna, Langen[24]

Für Eltern ist es schwer, rezeptive Mehrsprachigkeit anzuerkennen. Manchmal sind sie enttäuscht und brechen alles ab. Die Kinder vergessen dann schnell, und es ist sehr mühsam, später an dieses Wissen wieder anzuknüpfen.

Können Kinder von rezeptiv zu produktiv wechseln?
Ja! Jederzeit ist das möglich. Meine Freundin Paola hat gerade diese beglückende Erfahrung gemacht. Sie war jahrelang enttäuscht darüber, dass ihre Kinder nicht ihre Sprache teilen. Sie ist Journalistin und arbeitet für den Rundfunk und eine Wochenzeitung. Von Rom ist sie nach Frankfurt/M. gezogen und hat zwei Kinder, Lara (neun) und Matteo (zehn). Normalerweise ist sie hinter dem Mikrofon – diesmal habe ich sie interviewt:

Generalmente mio marito parla tedesco con me e con i bambini, io parlo italiano con loro e, prima delle vacanze, loro mi rispondevano sempre in tedesco. Queste vacanze sono state molto importanti perché per la prima volta i bambini sono andati in Italia senza di me, sono stati dai miei genitori, al mare, e hanno conosciuto un sacco di bambini italiani. Hanno parlato moltissimo l'italiano, anche con grande orgoglio. Questa cosa è andata avanti, cosicché adesso, che siamo già tornati da un mese e mezzo, spesso quando parliamo in due parliamo in italiano. Questo è una novità. Prima in casa non parlavano mai l'italiano. Lo parlavano al telefono con i miei genitori e i miei fratelli e quando eravamo in Italia d'estate. Hanno un nuovo piacere di parlare l'italiano. Sono molto contenta! Adesso Matteo mi dice: »Adesso parlo molto meglio l'italiano, mamma! Vedi, con te adesso parlo l'italiano.« Tutto quello che ho sempre cercato di spiegar loro con scarso successo, almeno così mi sembrava, hanno imparato attraverso questa esperienza

Normalerweise spricht mein Mann mit mir und den Kindern Deutsch, ich spreche Italienisch mit ihnen. Vor den Ferien antworteten sie mir immer auf Deutsch. Dieser Urlaub war sehr wichtig, denn zum ersten Mal sind die Kinder ohne mich nach Italien gefahren. Sie waren bei meinen Eltern, am Meer, haben viele Kinder kennen gelernt. Sie haben sehr viel Italienisch gesprochen und waren riesig stolz darauf. Das ging weiter, so dass sie mir jetzt, wo sie schon seit anderthalb Monaten zurückgekehrt sind, oft auf Italienisch antworten. Das ist neu. Vorher hatten sie nie Italienisch zu Hause benutzt. Sie verwendeten es am Telefon mit meinen Eltern oder Geschwistern oder wenn wir im Sommer in Italien waren. Sie haben ihren Spaß an Italienisch entdeckt. Ich bin sehr froh darüber! Manchmal sagt Matteo zu mir: »Jetzt spreche ich viel besser Italienisch, Mama! Siehst du, mit dir rede ich Italienisch.« Alles, was ich ihnen immer klarzumachen versuchte – und mir schien ohne Erfolg –, haben sie in diesem Sommer gelernt.

estiva. Hanno conosciuto due bambini italiani che fin da piccoli studiavano l'inglese. I loro genitori avevano sempre detto loro che è importante conoscere le lingue. Questi bambini erano molto affascinati dal fatto che Matteo e Lara passassero da una lingua all'altra. Per la prima volta si sono resi conto del fatto che il loro bilinguismo è una cosa eccezionale nel senso positivo. Anche gli altri bambini rimanevano sempre un po' a bocca aperta quando essi usavano il tedesco.

Sie begegneten Kindern, die von klein auf Englisch lernten. Ihre Eltern hatten ihnen immer wieder erklärt, wie wichtig das Studium von Sprachen ist. Diese Kinder waren fasziniert davon, wie Matteo und Lara von einer Sprache zur anderen wechselten. Zum ersten Mal erlebten sie ihre Zweisprachigkeit als etwas Besonderes im positiven Sinn. Auch die anderen Kinder staunten, wenn sie Deutsch benutzten.

Paola, Frankfurt/M.

Warum produzieren einige Worte, andere nicht? Viele Gründe kommen zusammen. Es sind immer die »Wetterbedingungen« und »Wege« auf dem Sprachberg. Paola hat das bemerkt: Lara und Matteo sind nach Italien gereist. Dort ist Italienisch die Normsprache, die das höchste Prestige genießt. Sie haben Spielkameraden getroffen und Freundschaft geschlossen. Die *amici* waren beeindruckt von den deutsch-italienischen Fähigkeiten, sie haben sie bewundert. Sie haben auf Italienisch gespielt und dadurch eine Wirklichkeit beeinflusst, die für sie wichtig ist, das Spiel. Lara und Matteo lieben ihre Großeltern sehr; mit ihnen und den Freunden haben sie täglich viel Zeit verbracht und geredet, gescherzt, gelacht. Sechs Wochen waren Lara und Matteo in Rom. Was Paola über Jahre in Deutschland in ihnen angelegt hatte, konnte jetzt hervorkommen.

Wir können den Kindern helfen, den Sprung von rezeptiv zu produktiv zu wagen. Wir sorgen für günstige Bedingungen, die so lange wie möglich andauern. Reisen, bei denen die Kids viel Kontakt mit anderen haben, Freundschaften oder lange Besuche von Verwandten sind dabei die äußeren Umstände, die oft andere positive Elemente mit sich bringen. Manchmal braucht es zwei oder drei Reisen, vielleicht spricht unsere Tochter oder unser Sohn sogar erst als junger Erwachsener. Wenn wir Geduld und Vertrauen in uns und unsere Kinder haben, werden wir es schaffen.

Erfolg

Immer wieder lese ich wissenschaftliche Untersuchungen und Aufsätze, in denen von »erfolgreichen Zweisprachigen« die Rede ist. Sie meinen damit weder einen deutsch-spanischen Bankangestellten, der gerade eine Gehaltserhöhung bekommen hat, noch eine englisch-türkische Managerin, die sich über eine Beförderung freut. Nein, es geht um Drei- oder Fünfjährige, die ihre Sprachen mehr oder weniger beherrschen.

Ich finde, es ist nicht korrekt, die Kenntnisse dieser Kinder so schnell zu beurteilen, zu wiegen und vermessen und nach Erfolg und Misserfolg zu sortieren. Es ist nicht wichtig, was dieses Kind mit vier Jahren in beiden Sprachen äußert. Es hat ein Leben lang Zeit, um sich zu verändern. Wie viel im Gehirn gespeichert ist, können wir nicht beobachten; manches zeigt sich erst nach Jahrzehnten. Es eignet sich nicht für alle das gleiche Maß. Toll, wie Jeanne Amerikanisch und Deutsch beherrscht. Die sechsjährige Ann-Li versteht etwas Chinesisch und folgt einfachen Unterhaltungen – von denen ich als Erwachsene nichts begreife. Ann-Li hat deshalb nicht weniger Erfolg als Jeanne; vielleicht ist sogar genau genommen ihr Erfolg der größere. Jeanne hat stets Bewunderung für ihr Englisch geerntet, Kindergruppen und Kontakte fanden die Eltern. Auf Chinesisch war und ist das schwieriger. Mehrsprachigkeit wird von vielen Faktoren bestimmt.

> Purtroppo mia figlia non parla l'italiano. Noi genitori viviamo separati, lei sta con la madre. La vengo a trovare una volta al mese. Capisce istintivamente, ma non parla. La mamma legge delle favole italianc con lei, lei ascolta cassette, ma ne capisce poco.

> Leider spricht meine Tochter kein Italienisch. Wir leben getrennt, sie bei der Mutter. Einmal im Monat besuche ich sie. Sie versteht instinktiv, aber sie redet nicht. Die Mutter liest ihr italienische Märchen vor, sie hört Kassetten, aber davon begreift sie wenig.

> Ein Vater einer zweijährigen Tochter

Es ist bewundernswert, wie beide Eltern trotz der Trennung zusammenarbeiten. Sie legen die Italienischkenntnisse bei der Kleinen an, und später kann eine zufriedene Zweisprachige aus ihr werden.

Wenn ich nur die Sätze und Wörter ansehe, die ein Kind hervorbringt, dann betrachte ich zu wenig. Erfolg – ja, aber als *dein* Erfolg. Der ist nicht vergleichbar mit dem des Nachbarkindes oder dem der Freundin, sondern mit dem, was *du* geschafft hast.

Zusammengefasst

Manche Mehrsprachige reden wie Wasserfälle in allen ihren Sprachen – sie produzieren ständig einen Redeschwall und heißen folgerichtig »produktiv«. Andere nehmen alles auf, äußern sich jedoch vielleicht nur in einer Sprache. Sie heißen »rezeptiv« (von »aufnehmen«). Wenn sie nichts sagen, dann heißt das noch lange nicht, dass sie die Sprache nicht beherrschen würden. Sie zeigen es uns nur nicht, sie führen es nicht vor. Manchmal dauert es lange, bis auf einmal die Sprachkenntnisse zum Vorschein kommen. Bei Zweisprachigkeit gibt es viele angenehme Überraschungen!

»Ich zeig nicht alles, was ich kann«

»Er kann das, ich weiß es! Warum macht er es nicht?« schießt uns durch den Kopf. Auf das Warum haben die Linguisten auch keine Antwort gefunden, aber sie haben theoretische Überlegungen angestellt. Die Grundidee ist: Eine Sache ist die, die Klein John kennt und beherrscht. Eine andere Sache, ob er es ausführt, also zum Beispiel antwortet oder auf die Bitte reagiert und das Brötchen holt. Wenn Klein John das Brötchen nicht holt, hat er dann die Frage nicht verstanden? Wir wissen es nicht, und wir können es nicht aus ihm herausbekommen. Kompetenz und Performanz, übersetzt etwa Können und Ausführen, heißt das Begriffspaar.[25]

Bei mehrsprachigen Kindern erleben wir mit etwas Glück die Unterschiede zwischen Können und Ausführen sehr deutlich:

Ich wollte schon alles aufgeben. Maria hat mir nie auf Spanisch geantwortet, sie reagiert nicht auf Bitten, ich hab geglaubt, sie will nicht und sie kann nichts. Dann haben wir unsere Ferien in Mexiko verbracht. Meine ganze Familie war mit und ich ließ Maria bei der Tante und den Cousinen. Am Abend höre ich erstaunt lauter Lob darüber, wie gut meine Tochter Spanisch kann!

Carmen, Basel

Das Wissen über Sprache können wir nicht direkt beobachten. Wir können nur von dem Gesagten oder den Ausführungen darauf schließen. Wenn also John dann doch mit dem Brötchen kommt, nehmen wir an, er hat uns verstanden. Es wäre allerdings auch möglich, dass er plötzlich Hunger bekommen hat und völlig unabhängig von uns etwas zu essen geholt hat. Einen Unsicherheitsfaktor gibt es also immer.

Noch spannender ist das Verhältnis von der anderen Seite. Marias Mutter schließt von dem Gesagten – nämlich nichts – auf die Fähigkeiten. Sie glaubt, ihre Tochter verstünde kein Spanisch. Doch wenn etwas nicht ausgeführt wird, heißt das nicht, dass man es nicht vielleicht doch weiß. Vielleicht ist die grammatische Form schon fast anwendungsreif, das Wort ist schon gespeichert, es fehlen nur noch Millimeter zur Ausführung. Oder die sprachlichen Mittel sind schon bereit, aber die Sprecher wenden sie noch nicht an – um keine Fehler zu machen, weil sie sich nicht trauen, weil es anders bequemer scheint. Wir haben das vielleicht schon an uns selbst bemerkt: Etwas »liegt auf der Zungenspitze« – auf Kompetenzebene ist es bereit, aber bis zum Aussprechen ist es noch nicht gelangt. Dann genügt ein Anstoß, um das Vorbereitete nach draußen zu bringen. Eine Reise, ein Besuch sind gute Mittel, um die letzten Millimeter zu überspringen!

 Zusammengefasst

Eine Sache ist unser Wissen, wie Sprache gebaut ist, wie wir richtige Sätze formen und dergleichen. Dieses Wissen ist unsere Kompetenz.
Eine andere Sache ist, was wir davon zeigen oder ausführen. Das nennen wir Performanz. Wenn ein Mensch etwas nicht sagt, heißt das noch nicht, dass es nicht als Wissen doch vorhanden wäre. Vielleicht »liegen die Worte auf der Zungenspitze«.

Was tun bei Ablehnung?

Pina antwortet mir nur noch auf Deutsch, egal, was ich tue! Wie kann ich das ändern?

Eine Mutter auf einem Seminar
der Universität Mainz

Ich selbst interessiere mich sehr für Fremdsprachen und spreche außer Türkisch auch Englisch, Italienisch und Spanisch und habe Grundkenntnisse in Arabisch und Persisch.

Schwierig ist, dass unsere Tochter sich weigert, Türkisch zu sprechen. In der Grundschule ging sie eher widerwillig in den muttersprachlichen Unterricht, und wie mir die Lehrerin sagte, sprachen sogar dort selbst die »rein türkischen« Kinder lieber und öfter Deutsch als Türkisch, und unsere Tochter natürlich auch. Jetzt, im Gymnasium, gibt es keinen muttersprachlichen Unterricht mehr. Suna kann dennoch einigermaßen passabel Türkisch und kann sich jedes Jahr im Türkei-Urlaub eigentlich recht gut mit unseren türkischen Verwandten verständigen. Allerdings spricht sie auch dort nur im äußersten Notfall Türkisch. Aber verstehen tut sie sehr viel.

Ich spreche Deutsch mit ihr, mein Mann Türkisch, aber sie antwortet grundsätzlich auf Deutsch. Es wäre mir lieber, wenn sie auf Türkisch antworten würde, denn sie kann es eigentlich recht gut. Aber sie weigert sich, es zu sprechen.

Ute, Langen

Ich weiß nicht, ob mir etwas daran gefällt, dass ich Türkisch kann. Ich finde es nervig, wenn ich Türkisch sprechen soll. Ich kann es nicht so gut. Deswegen habe ich Angst, dass ich Fehler mache.

Suna, zwölf Jahre

Auf meiner letzten Elternveranstaltung fragte ich einmal in die Runde, wer diese Situation kennt. Überall gingen die Finger hoch! Abgesehen von den Kleinkindfamilien kannten die meisten Mütter und Väter Ablehnung zur Genüge.

Bei allen löste das starke Gefühle aus. Sie waren traurig und wütend, entnervt und zermürbt von zahllosen Versuchen und einem Verhalten der Kinder, das sie als Zurückweisung erlebten. Ihre Kultur und Sprache schienen den Söhnen oder Töchtern nichts zu bedeuten. Normen, die nicht ihre waren, galten plötzlich als Maß aller Dinge.

Doch halt! Verstehen wir die Kinder richtig?

Was teilen uns Pina und Suna mit?

Sie zeigen uns, welches Wissen sie über Sprache angesammelt haben und wie exakt sie es einsetzen:

- Sie haben genau analysiert, dass und wie gut ihre Eltern Deutsch verstehen.
- Sie haben beobachtet, dass Sprache ein Instrument ist: Damit können wir Zugehörigkeit zeigen, jemanden ausgrenzen, uns absetzen.
- Diese Beobachtungen setzen sie in die Praxis um. Sie benutzen das Instrument bewusst.
- Zutreffend wie ein Soziologe haben sie bemerkt, dass die Norm Deutsch ist. Um ihre »Normalität« zu beweisen, reden sie der Norm entsprechend.
- Wie eine gute Psychologin haben sie erfasst, wie wichtig uns ihre Antworten sind. Deshalb treffen sie uns so im Innersten.

Ist es nicht beeindruckend, welche Erkenntnisse Pina und Suna gefunden haben und wie sie diese anwenden? Dabei sind sie erst zwölf Jahre alt.

Die Mutter in der Arbeitsgruppe war traurig und fühlte sich selbst abgelehnt. Als wir entdeckten, wie viel ihre Tochter über Kommunikation weiß, ging ein Leuchten über ihr Gesicht.

Wie können wir uns verhalten?

Natürlich ist jede Situation einzigartig, doch häufig sind zwei Gesichtspunkte entscheidend: Zunächst lohnt es sich, die Lage zu entspannen, wieder ein freundliches Miteinander zu finden und Auswege zu suchen. Manches können wir von einer anderen Seite betrachten.

Keinen Kampfplatz eröffnen

Es kann zu einem Kampf werden, in dem keine Partei einen Zentimeter nachgeben will. Beide verlieren – darum lassen wir uns nicht darauf ein. Wir halten uns immer den Weg auf den Berg mit dem Doppelgipfel frei.

Ich

Manchmal sind unsere Kinder die Einzigen, mit denen wir unsere Sprache teilen können. Umso mehr trifft es, wenn sie diese Rolle nicht mehr einnehmen wollen. Ich verstehe dieses Verlustgefühl gut – doch es ist unsere Perspektive, nicht ihre. Wir können sie nicht an uns binden.

Abgrenzen

Es gehört zur Entwicklung der eigenen Persönlichkeit, sich von den Eltern abzugrenzen. Das tut uns weh und ist nervenaufreibend, aber notwendig. Oft tun Kinder und Jugendliche das durch die Sprache. Wenn es uns gelingt, beides getrennt zu halten, dann sind wir Meister. »Du willst dich von mir abgrenzen? Das ist okay, das musst du tun, und tu es in der Sprache, in der du willst. Eine andere Sache sind die Reichtümer, die unabhängig von mir in der Sprache auf dich warten.«

Oft sind gerade in diesen Zeiten Gespräche besonders schwierig, darum wissen wir selten, was in den Kindern vorgeht. Wir können eher etwas von Erwachsenen erfahren, die sich erinnern, wie Anna. Heute ist sie 39 Jahre alt und Mutter. Sie wuchs mit Italienisch und Deutsch auf:

Ich bin Tochter einer italienischen Mutter und eines deutschen Vaters. Meine Mutter hat ausschließlich Italienisch mit mir gesprochen und mein Vater Deutsch. Irgendwann, so mit fünf, sechs Jahren ungefähr, wollte ich nicht mehr, dass meine Mutter in der Öffentlichkeit mit mir Italienisch spricht. Zu Hause war das egal, aber in Geschäften, auf der Straße, im Bus wollte ich, dass sie Deutsch spricht.

Ich habe gesagt: »Sprich Deutsch!« Das hält sie mir heute noch vor. Sie hat weiter Italienisch gesprochen und war sehr getroffen, sie hat es als extreme Ablehnung ihrer Person empfunden. Sie war traurig, beleidigt, enttäuscht. »Lass mir doch meine Sprache, ich bin doch Italienerin.« Ich fühlte mich anders, wenn meine Mutter mit mir Italienisch sprach. Heute meine ich, ich hab gespürt, dass es komisch war, nicht deutsch zu sein. Ich wollte so sein wie alle anderen.

Meine Mutter hat dann Italienisch gesprochen. Ich hab Deutsch geantwortet. Das hat sich dann eingeschliffen. Es ist heute noch so, dass ich Deutsch mit ihr rede. Inzwischen spreche ich Italienisch fließend, schreibe und lese es.

Heute bin ich froh, dass ich zweisprachig aufgewachsen bin. Ich glaube, wenn sie respektiert hätte, für einen gewissen Zeitraum in bestimmten Situationen diesem Wunsch nachzugeben, Deutsch zu reden, dann wäre es nicht von mir aus mit solchen Blockaden behaftet worden. Es hätte sich nicht so eingeschliffen. Irgendwann wurde es ein Machtkampf. Das ist ja auch eine klassische Mutter-Tochter-Machtkonstellation. Sie hat nicht reflektiert, was es bei mir für Gründe geben könnte, sie hat es auf einer ausschließlich emotionalen Ebene verarbeitet. Irgendwann war es eben einfach so.

Wenn meine Mutter sich nur in diesen öffentlichen Situationen etwas zurückgenommen hätte, dann hätte sie den Konflikt für mich entschärft. Wenn sie etwas weniger emotional auf mich reagiert, sondern mehr darüber nachgedacht hätte, was es für Beweggründe sein könnten, wegen der ich manchmal nicht Italienisch reden wollte, wenn sie manchmal die Situationen anders gestaltet hätte, wäre nicht so ein Mechanismus verfestigt worden oder so ein Machtkampf etabliert worden.

Die Sprache war ja auch ein Punkt, wo ich mich ganz klar von meiner Mutter abgrenzen konnte. Ganz einfach, indem ich mich geweigert habe, diese Sprache mit ihr zu sprechen.

Anna, 39

Das Schönste an diesem Bericht ist: Heute spricht Anna sehr gut und gerne Italienisch, sie hat diese Sprache sogar an ihr Kind weitergegeben. Annas Tochter besucht eine deutsch-italienische Grundschule und die ganze Familie ist dafür umgezogen. Anna hat eine enge Verbindung zu Italienisch entwickelt.

Die Kinder sollen doch die Sprache lernen!
Ja! Darum halten wir alle störenden Schwingungen fern.

Was tun? Koffer packen
Jetzt ist der beste Moment für eine Urlaubsreise in das Land der abgelehnten Sprache oder für Einladungen an einsprachige Verwandte und Freunde zu ausgedehnten Besuchen. Die Neugier ist ein großartiger Motor, um eigene Kenntnisse anzuwenden und sich zu überwinden.

Nicht aufgeben
Niemals. Wir benutzen immer weiter unsere Sprache, halten den Weg offen. Die Zeit arbeitet für uns. Wir alle verändern uns und besonders die Heranwachsenden.

Ein junger Mann aus einer türkischen Familie machte einer traurigen Mutter Mut:

Das kommt alles, glauben Sie mir. Meine Schwester wollte nie ein Wort Türkisch hören, und jetzt ist sie zwanzig, hört nur türkische Rockmusik, spricht Türkisch ... So wird es auch bei Ihrer Tochter sein.

Schatzsuche

Oft ist unseren jungen Piraten gar nicht bewusst, welche Abenteuer und Entdeckungen noch auf sie warten. Ohne verlockende Ziele ist es schwer, sich für eine Sprache zu begeistern. Das geht uns nicht anders. Gehen wir also auf Schatzsuche. Wenig sinnvoll sind dabei Erwachsenenschätze; so, wie unser Sohn sich mehr für ein Spielzeug als für eine Seidenkrawatte interessiert, genauso faszinieren ihn berufliche Möglichkeiten weniger als so Wichtiges im Hier und Jetzt wie der neueste Film oder sein Lieblingssport. Gerade bei Teens lassen wir uns dabei etwas einfallen.

Was finden die Kids richtig super? Was wünschen sie sich innigst, obwohl wir es bisher abgelehnt oder aber streng eingeteilt haben? Computerspiele? Okay, auf Englisch (oder was immer unsere Sprache ist). Im Internet surfen? Ich zeig dir ein paar französische Websites. Ein Rockkonzert? Nimm deinen Freund mit, wir gehen zu Gianna Nannini. Wenn es uns gelingt, bei diesen Aktivitäten auch noch den besten Freund einzubeziehen, haben wir einen unschlagbaren Verbündeten gewonnen. Geeignet sind alle Aktivitäten, die Spaß machen und irgendwie mit der Kultur zusammenhängen können, von A bis Z:

- Ausstellungen
- Brieffreunde
- Computerspiele
- Comics
- Essen gehen
- Feste
- Filme im Original
- Hobbys
- Internet
- Jungs
- Konzerte
- Mädchen
- Popmusik
- Religion
- Sport
- Quatsch
- Witze
- Zeitschriften abonnieren

Mehr über vergrabene Schätze finden Sie in den Abschnitten »Wechsel ermutigen« (Seite 56f.), »Zaubermittel« (Seite 89f.) und »Vorbilder« (Seite 101f.).

Streitsituationen verlassen

Nachgeben, Deutsch sprechen?

Das ist schwierig abzuwägen. Hier einen Rat für alle verschiedenen Situationen zu erteilen wäre zu einfach. Von Anna können wir verstehen, wie sich Kinder manchmal fühlen. Ihr war es unangenehm, und auch wir Erwachsenen erleben oft eine Hemmschwelle. Auf der anderen Seite ist es wichtig, auch und gerade in der Öffentlichkeit zu vermitteln: »Du kannst stolz sein. Schau, ich bin es auch.« Das gelingt, indem wir unsere Sprache benutzen – nicht verstecken.

Eine erste Annäherung können Gespräche sein, in denen beide ihre Gefühle zeigen. Bisher habe auch ich immer geraten, weiter in der Öffentlichkeit die eigene Sprache zu sprechen, aber Annas Idee, in besonders schwierigen Momenten Ausnahmen zuzulassen, gefällt mir gut. Ich kenne eine Reihe von Eltern, die das so gemacht haben, und letztlich haben alle davon profitiert:

Im Kindergarten wurde Jane erst klar, dass die anderen Kinder kein Englisch mit ihren Müttern sprachen. Plötzlich wollte sie beim Abholen auf keinen Fall Englisch von mir hören – sonst gab es ein riesiges Theater. Sowie wir durch die Tür waren, durfte ich wieder reden wie gewohnt. In der Anfangszeit bin ich Janes Wunsch gefolgt und habe wenig und das auf Deutsch gesagt. Mit der Zeit fingen ihre Freundinnen an, Fragen zu stellen: »Was heißt ... auf Englisch?« Da wurde meiner Tochter deutlich, dass sie etwas Tolles kann. Ich habe den Moment genutzt und Schritt für Schritt mehr englische Wörter und Sätze beim Abholen gebraucht. Jetzt reden wir wieder immer Englisch.

Kate, Basel

Probieren und hinterher miteinander besprechen, wie wir uns gefühlt haben, Mutter, Töchter, Söhne, Vater – das ist mein Vorschlag.

Den Konflikt links überholen
Diese Strategie ist nicht so radikal wie der Wechsel zum Deutschen und funktioniert gut in der Öffentlichkeit, in Geschäften oder mit Freunden. Wir wenden uns nicht direkt an Sohn und Tochter, denn dann müssen wir entscheiden: meine Sprache oder Deutsch? Nein, wir lassen den Konflikt links liegen und wenden uns an den Freund oder die Verkäuferin und unser Kind zusammen: »Welchen Schuh nehmen wir?« oder »Jetzt kommt beide,

wir gehen auf den Spielplatz.« Dann ist die Umgebungssprache Deutsch zwangsläufig richtig.

Diese Redeweise kann allen helfen, einen Kampfplatz zu verlassen und das Gesicht zu wahren. Zwischen alles oder nichts öffnet sich ein dritter Weg. Wir geben nicht auf, sondern schaffen Luft. Beide, Eltern und Kinder, können so einen Schritt aufeinander zugehen, ohne dass einer sich als Verlierer fühlen muss.

Wenn sich nach einiger Zeit die Situation entspannt hat, dann sprechen wir wieder wie gewohnt unseren Sohn oder unsere Tochter auch in der Öffentlichkeit direkt an, in unserer Sprache.

Den Mut behalten

Wenn wir dabei bleiben und den Mut nicht verlieren, dann wird sehr wahrscheinlich einmal unser Nachwuchs sehr froh sein, beide Sprachen zu beherrschen. Und wir natürlich auch.

 Zusammengefasst

Viele Eltern erleben es: »Meine Tochter, mein Sohn antwortet nur auf Deutsch, lehnt meine Sprache ab!« Wir übersehen dabei oft, dass die Heranwachsenden viel exaktes Wissen über Sprache zeigen. Das ist zunächst einmal ein positiver Aspekt in dieser schwierigen Situation.

Ich möchte alle ermutigen, niemals aufzugeben, weiter die eigene Sprache zu sprechen. Es lohnt sich, Kampfplätze zu vermeiden, Streitsituationen zu verlassen und vor allem: auf Schatzsuche zu gehen.

Was bewirkt der Kindergarten?

Vor- und Nachteile

Seit Mara den Kindergarten besucht, spricht sie viel mehr Deutsch. Das ist ja schön, aber ihr Rumänisch macht kaum noch Fortschritte. Ich fürchte sogar, sie könnte ganz damit aufhören wollen ...

Ein Vater auf einer Veranstaltung in Köln

Mehr und mehr wenden sich die Kurzen in der Umgebungssprache an uns, die Entfernung zur anderen Sprache scheint jeden Tag zu wachsen. Woran liegt das? Vielleicht finden gerade einschneidende Veränderungen statt, Paul kommt in den Kindergarten, die neue beste Freundin ist einsprachig. Freundschaften werden geschlossen, andere gehen auseinander, ein Lebensabschnitt beginnt. Das geschieht mit Sprache – Spielen, Reden, Lernen, Streiten, immer werden Worte gebraucht. Ältere spüren auf einmal deutlicher den Druck durch die Umgebung, die Norm. All das wirkt sich auf Mehrsprachigkeit aus.

Das Gleiche erleben wir vielleicht noch einmal nach dem ersten Schultag.

Sehen wir einmal die positiven Seiten an:

Das Kind erhält so viele Anregungen, dass es eine Sprache enorm weiterentwickeln kann. Neuen Strukturen begegnet es: Formen, Zeiten, Wörtern, Begriffen und Ideen. Es lernt, Geschichten zu erzählen, über Dinge zu reden, die nicht da sind, zählen, Vergangenheit und Zukunft, sich durchsetzen, gewinnen und verlieren.

Vieles davon kann es auf die zweite Sprache übertragen. Wenn Mara sich erst einmal auf Deutsch durchsetzen kann, kann sie es bald auch auf Rumänisch, ebenso Geschichten erzählen oder zählen.

Was für Eltern oft schwierig ist

Jetzt wollen Mara, Jean und Paul auf einmal nur noch die Umgebungssprache sprechen. Wir sehen mit an, wie sie jeden Tag ein Stück ihrer anderen Sprache zu verlieren scheinen. Hilflosigkeit macht sich breit. War alles umsonst?

Nein! Wir haben Grundlagen gelegt, die auch weiter bestehen bleiben, wenn wir keine Wirkungen beobachten. Wenn Jean kein Französisch mehr benutzt, heißt das noch nicht, dass er alles vergessen hätte. Das Wissen ist bei Jean noch vorhanden. Bleibt es allerdings lange Zeit unbenutzt, dann vergisst er.

Wie wir der Situation gut begegnen können

Wir tun das Gleiche, was das Kind im Kindergarten erlebt – wir ermöglichen neue Erfahrungen, neue Freunde. Ein paar Monate nach dem ersten Kindergartentag ist der beste Moment für eine ausgiebige Reise oder einen langen Besuch von Verwandten. Eine rumänische Spielgruppe oder Treffen mit rumänischen Freunden zeigen Mara, wie viel Spaß sie mehrsprachig hat. Dafür sind oft sogar Erwachsene besser geeignet, denn viele Kinder hier sprechen untereinander Deutsch. Jetzt sind die Gute-Nacht-Geschichte, das ausgedehnte Spiel, Zuhören und Reden auf Rumänisch besonders wichtig. Ich rate Eltern in den Veranstaltungen, besonders viel Zeit und Geduld zu investieren. Alle Erfahrung zeigt: Es lohnt sich. Nur dauert es oft ein bisschen, bis wir das bemerken.

Zusammengefasst

Mit dem Besuch des Kindergartens bekommen unsere Sprösslinge eine Vielzahl neuer Eindrücke, die fast immer auf Deutsch sind. Das ist gut, weil sie ein Stück Welt entdecken und die deutsche Sprache lernen. Auf der anderen Seite gerät die andere Sprache dann leicht in den Hintergrund.

Wir wirken dem entgegen, wenn wir gerade zu diesen Zeiten besonders schöne Dinge mit ihr verbinden, wie einen langen Urlaub, Verwandtenbesuche oder eine Gruppe suchen, in der wir und unsere Sprache unterstützt werden.

Sollen Kinder der gleichen Sprache in dieselbe Gruppe?

»Hier soll unser Kind nur Deutsch reden!«, das sagen viele Eltern den Erzieherinnen als Erstes. »Zu Hause sprechen wir Portugiesisch, und die deutsche Sprache soll Mercedes jetzt in der Kita lernen – und zwar schnellstens.« Der Gedanke ist verständlich, doch – schauen wir uns das einmal bei Mercedes an:

Mercedes kommt mit drei Jahren in die Froschgruppe der Kita um die Ecke. Sie versteht nichts und niemanden. Die erste Zeit ist hart. Dann lernt sie, die anderen zu verstehen. Jetzt bekommt sie viele Anregungen in der neuen Sprache – Deutsch. Sie redet über

Farben, Formen, Spiele. Dafür stagniert das Portugiesische, es bleibt bei den Gesprächen, die eben zu Hause geführt werden. Bald möchte Mercedes lieber Deutsch mit den Eltern sprechen, um so zu sein wie die anderen.

Wie viel schöner wäre es, wäre Mercedes mit den zwei anderen portugiesischsprachigen Mädchen aus der Kita in der gleichen Gruppe! Sie könnten sich die Eingewöhnungszeit erleichtern. Später könnten die Mädchen zusammen auf Portugiesisch und mit anderen Kindern in der Gruppe auf Deutsch spielen. Beide Sprachen würden sich gut entwickeln. Bei dem Fahrrad könnten sich beide Räder drehen.

Aus diesen Gründen bieten die fortschrittlichsten Kindergärten an, gleichsprachige Kleine zusammen zu betreuen. Manchmal kann sogar eine Erzieherin oder Praktikantin der Sprache gewonnen werden. Die Jungen und Mädchen sprechen dann in der Gruppe Deutsch und haben zusätzlich die Möglichkeit, auch ihre Erstsprache zu verwenden. Alle profitieren davon – Kurze, Erzieherinnen und Eltern. Die Entwicklung gelingt in beiden Sprachen besser, eine Sprache hilft sozusagen der anderen. Was die Mädchen und Jungen schon in ihrer Sprache wissen, können sie für das Lernen einsetzen. Sprechen sie nur Deutsch, so liegt die Hälfte ihrer sprachlichen Kenntnisse den Kindergartentag lang brach.

Gespräche über Kulturen werden einfacher und fruchtbarer, wenn in einer Gruppe zwei oder drei Nationalitäten vertreten sind – und nicht zehn oder mehr. Schon Drei- und Vierjährige unterhalten sich über Kultur und Sprachen. In diesem Alter beginnen sie, Kultur und Nationalität zu verstehen.

Nils freut sich schon auf Alessio! Heute Mittag habe ich bei den beiden an der Tür gelauscht und konnte nur mühsam ein lautes Lachen unterdrücken. Da meinte der Nils zum Hendrik in ganz, ganz wichtigem Ton: »Hendrik, in Italien sprechen die Italiener Italienisch. Der Alessio kann auch Italienisch.« Hendrik hat diese Offenbarung allerdings nur mit einem müden »Talienisch?« quittiert ...

Barbara, Nils (drei Jahre) und Hendrik (anderthalb Jahre), Frankfurt/M.

Aber nicht isolieren

Auf eines müssen dabei jedoch alle achten: Wenn Mercedes nur noch Portugiesisch in der Gruppe spricht, dann muss etwas verändert werden. Die Idee der Sprachgruppen funktioniert ausgezeichnet, solange alle miteinander reden und es keine isolierten Cliquen gibt. Mercedes und ihre Freundinnen müssen ihren Platz in der Gesamtgruppe haben und keine Außenseiterrollen. Darauf können Erzieherinnen achten. Spiele in deutscher Sprache sollten täglich stattfinden, ebenso Vorlesen, Puppentheater, Geschichten erzählen oder gemeinsames Lesen. Klare Regeln helfen dabei, z.B.: »Beim Essen, beim gemeinsamen Spiel reden wir Deutsch, damit wir uns alle verstehen.« Wenn dann ein Kind auf Portugiesisch fragt, wie Schere auf Deutsch heißt oder was die Erzieherin gesagt hat, so sollte das erlaubt sein.

Haben sich schon Cliquen gebildet, dann sind schnell Eltern und Erzieherinnen entmutigt und fragen mich bei Fortbildungen, ob sie die Kinder wieder trennen sollen. Das wäre schade, denn Sprachgruppen sind der richtige Weg. Ich schlage dann vor, gemeinsame Schwerpunkte zu suchen, Aktivitäten für alle, die auf Deutsch stattfinden. Ein breiterer Raum für geregelte Angebote wie Basteln etc., wobei dann die »Cliquenkinder« aufgeteilt werden, ermöglicht neue Kontakte und Öffnungen von beiden Seiten.

Auch bei Sprachgruppen gehört es dazu, dass die deutschsprachigen Anwesenden manchmal nichts verstehen; wenn sie lernen, das auszuhalten, haben sie viel gewonnen. Dabei können sie ein neues Sprachbewusstsein entwickeln. Sie erleben, dass Sprachen gleichwertig sind und man sich in jeder ausdrücken kann.

Zusammengefasst

Eltern, Kinder und Erzieherinnen möchten das Gleiche: Das Kind soll sich wohl fühlen und neben vielem anderen ein gutes Deutsch lernen. Eltern fordern daher oft, ihre Tochter solle nur Deutsch reden und nicht mit anderen Kindern der gleichen Sprache zusammen in eine Gruppe gehen. Es ist jedoch sinnvoller, gerade Kinder mit der gleichen Sprache zusammenzubringen. In solchen Gruppen kann viel gezielter gearbeitet werden und die Kinder können besser das Wissen zum Lernen nutzen, über das sie in einer anderen Sprache bereits verfügen. Erzieher und Eltern können darauf achten, dass niemand isoliert ist.

Welche Schule ist die richtige für uns?

»Jetzt beginnt der Ernst des Lebens«, Schultüte basteln, Fotoapparat einstecken, Haare bändigen – wo soll dieser große Moment stattfinden? Und was kommt danach? Wie kommt Mehrsprachigkeit in deutschen Schulen vor?

Die Schule nebenan

Frühenglisch, Französischstunde, Italienisch-AG, muttersprachlicher Unterricht und Sozialkunde auf Amerikanisch – sogar in der deutschen Schule geht's oft nicht nur einsprachig zu.

Muttersprache und Fremdsprachenunterricht

Englisch, Französisch und noch einige weitere Sprachen werden als Fremdsprachen angeboten, manchmal als »Frühenglisch« sogar von der ersten Klasse an. Allerdings ist es ein großer Unterschied, ob jemand eine Sprache noch gar nicht kennt oder sie seit Geburt benutzt. Nicht alle Lehrer haben in dieser schwierigen Situation die nötige glückliche Hand. Es berichten erstaunlich häufig englischsprachige Schüler, wie angespannt der Umgang mit den Menschen am Pult war, wie gegenseitige Unsicherheiten zu Misstrauen oder sogar Ungerechtigkeiten führten. Eine Ursache liegt sicherlich darin, dass die Fähigkeiten so vielschichtig sind. Während Frau Studienrätin Michelmann vielleicht mit einem hammerharten Akzent spricht und Redewendungen ihr völlig fremd sind, kann sie möglicherweise in der Grammatik viel geben oder die Schönheit der Shakespeare-Sonette erleben lassen. Umgekehrt fällt es ihr wie vielen Kollegen schwer sich einzugestehen, dass die zehnjährige Mary-Ann im mündlichen Ausdruck manches besser weiß und ihre Fehler bemerkt.

Manchmal hilft es, wenn wir ein klärendes und einfühlsames Gespräch führen; in anderen Fällen bleibt nur, das neue Schuljahr abzuwarten und auf einen Wechsel am Pult zu hoffen. Ein Tipp, den wir vorsichtig dem Lehrer nahe bringen können: Der Unterricht wird einfacher, wenn die Fähigkeiten des Schülers genutzt werden. Bei Spielen gewinnt unweigerlich die Mannschaft mit John, weil er so super Englisch kann? Vielleicht sollte er Schiedsrichter sein. Wenn Mary-Ann so viel weiß, vielleicht können wir sie ja locker fragen: »Ich komm gerade nicht auf das Wort. Kennst du es vielleicht?« Allerdings möchten viele Kids nicht immer eine Sonderrolle spielen; einige blühen dabei auf, andere finden es grässlich. Probieren geht über studieren. Wenn wir anschließend darüber reden, wie wir uns gefühlt haben, wissen wir schnell, woran wir sind.

Past Perfect ja, Identität leider nicht
Grammatik, Konversation, Schreiben – das ist nicht wenig, und das können unsere Jüngsten im Fremdsprachenunterricht mitnehmen. Was sie hier jedoch nicht finden werden, sind Gespräche über Fragen wie: Wie sehe ich mich als Heranwachsender zwischen zwei, drei Kulturen? Welche Erfahrungen haben wir mit unserer Mehrsprachigkeit gemacht? Oder: Was können wir voneinander lernen?

Der Fremdsprachenunterricht heißt nicht von ungefähr so. Der Blick kommt von außen, es gilt etwas Fremdes zu erschließen. Unterricht wird hauptsächlich für Englisch und Französisch angeboten, manchmal Russisch. Erst in höheren Klassen begegnen wir Spanisch, Neugriechisch und Italienisch, selten Türkisch.

Muttersprachlicher Unterricht

Laut einer europäischen Leitlinie sollte ein Staat den Schülern und Schülerinnen eines anderen EU-Landes Bildungsmöglichkeiten in der Herkunftssprache anbieten. In Deutschland ist das der muttersprachliche Unterricht, der manchmal auch herkunftssprachlicher Unterricht heißt. Er findet am Nachmittag einmal pro Woche in den Schulen statt; Lehrer des entsprechenden Landes halten ihn. Meist werden die Schüler einer größeren Gegend zusammengefasst, um eine italienische, spanische ... Nachmittagsklasse zu bilden. Dann müssen sie in die entsprechende Schule erst fahren.

In einigen Bundesländern steht er zur Diskussion, in Hessen soll er ganz auslaufen. Das ist schade, denn immerhin ist dieser Unterricht am Nachmittag bisher das einzige Angebot, das fast überall zugänglich war. Leider ist die EU-Richtlinie nicht verbindlich; wenn ein Bundesland kein Geld hat, dann fällt der »MU« eben aus. Auskünfte über muttersprachlichen Unterricht erhalten wir bei den Schulen, den Staatlichen Schulämtern und den Konsulaten – und die wiederum stehen im Telefonbuch.

Weil der muttersprachliche Unterricht auf eine EU-Verordnung zurückgeht, gibt es ihn nur für Sprachen in europäischen Ländern; für viele wie Kroatisch, Portugiesisch oder Schwedisch ist er das einzige Angebot vor Ort.

Viele Kinder maulen während des Schuljahrs über die »Zusatzbelastung«, doch ich kenne begeisterte Stimmen von Jugendlichen, die im Laufe der Jahre in diesen zwei Wochenstunden eine Menge über sich selbst und ihre Kultur entdeckt haben. Sie werden sich dessen erst später bewusst.

Bio auf Spanisch

Ein Jahr lang Biologie auf Spanisch, dann wieder auf Deutsch, umgekehrter Wechsel in Mathematik – das heißt »fremdsprachlicher Fachunterricht«. Einige Gymnasien bieten das an. In einigen

Modellen wird auch durchgängig ein Fach in einer anderen Sprache unterrichtet.

Interessant ist dabei, wie die »Fremd«-sprache auf einmal Normsprache und Unterrichtssprache wird. Das mit der ganzen Klasse zu erleben bringt den Jugendlichen eine neue Perspektive. Es ist eben doch ein großer Unterschied, ob einem gesagt wird, dass Sprachen gleichwertig sind und man alles in jeder ausdrücken kann, oder ob man es tut.

Diskussion über interkulturelle Identität, über den eigenen Platz mit und zwischen den Kulturen haben dagegen hier wenig Raum. Diese Fragen muss die Heranwachsende dann doch mit sich allein ausmachen.

Dieses Angebot gibt es auf Englisch, selten auf Französisch. Russisch und Spanisch sind Ausnahmen, andere Sprachen kommen meines Wissens nicht vor.

Samstagsschulen

»Gibt es keine Angebote von staatlicher Seite, dann müssen wir selbst etwas tun«, das war der Anstoß für Eltern, Vereine, manchmal sogar diplomatische Vertretungen. Heute bieten sie Samstagsschulen an. Sie suchen Lehrer, die Eltern bezahlen Beiträge, und so können die Kinder gemeinsam schreiben lernen, Geschichte ihres Landes studieren und teilweise Unterweisung in der Religion erhalten. Die Kinder besuchen fünf Tage in der Woche die deutsche Schule. Am Samstag atmen sie den Kreidestaub im privat organisierten Unterricht in ihrer zweiten Kultur.

Einige Beispiele: Die norwegischen Konsulate bieten solche Kurse an; in Düsseldorf und Frankfurt/M. funktionieren chinesische und russische Samstagsschulen, in denen die Kinder die Schrift lernen und ihre Sprachkenntnisse verbessern. Sie finden wöchentlich oder einmal pro Monat statt. Samstagsschulen gibt es auch in Sprachen, für die es sonst keine Angebote für Kinder in Deutschland gibt, wie Japanisch und Koreanisch.

Auch hier erfahren die Kinder: Meine Kultur ist etwas wert. Ich bin nicht alleine. Meine Bikulturalität ist etwas Kostbares. Ihr Selbstbewusstsein wird gestärkt. Indem sie gemeinsam etwas tun, unterstützen sie sich bei dem Umgang mit ihren zwei, drei Kulturen und Sprachen. Welche Angebote es in der Nähe gibt, erfahren wir beim Konsulat oder durch Gespräche und Mundpropaganda.

Viele dieser Samstagsschulen sind durch die Energie und Initiative von Eltern entstanden. Es gibt viele Interessierte, aber noch keinen Unterricht in unserer Sprache bei uns? Vielleicht wollen wir selbst eine ins Leben rufen?

 Zusammengefasst

Einer anderen Unterrichtssprache als Deutsch begegnen wir an normalen Schulen im Fremdsprachenunterricht, muttersprachlichen Unterricht, fremdsprachlichen Fachunterricht wie Bio auf Spanisch oder in Samstagsschulen auf Privatinitiative.

Mehrsprachige Schulformen

Ein weltoffenes Lernen vom ersten Tag an, dieser Traum wird manchmal in den Sternstunden eines mehrsprachigen Unterrichts wahr. Kinder spielen auf Englisch, rechnen auf Deutsch und üben, wie französische Sätze gebaut werden, aber vor allem, wie sie miteinander und mit ihren verschiedenen Kulturen umgehen können.

Die Schüler lernen ihre zweite Sprache besser, entwickeln sie, lesen und schreiben in ihr. Literatur, Zeitungsartikel genauso wie Comics geben jetzt ihre Geheimnisse preis. Doch vor allem erschließen sich die Schüler mit dem Schreiben eine der wichtigsten Kulturtechniken. Eine gute Ausbildung, ein Beruf – ohne Schrift klappt da nichts. Und im Alltag? Auch da gehören korrekte Texte dazu, ein Brief oder eine Nachricht, dauernd muss geschrieben werden. In bilingualen Klassenzimmern lernen die ABC-Schützen das in beiden Sprachen.

Viele Vorteile

Seit einem Jahr besucht Valerio den deutsch-italienischen Schulversuch in Frankfurt am Main. Jetzt kommt er in die zweite Grundschulklasse.

Wie erwartet hat sich sein Italienisch verbessert und wir sind froh, dass er auch in dieser Sprache schreiben, lesen und rechnen lernt. Aber was uns überrascht hat: Er ist viel selbstbewusster geworden. Ich meine, es liegt daran, dass er seine Zweisprachigkeit endlich als anerkannt und wertvoll erlebt. Sie steht im Zeugnis, andere Kinder fragen ihn, er kann bei Aufgaben helfen. Er kann in dieser Klasse seine ganze bikulturelle Persönlichkeit ausleben.

Valerio hat zwei Klassenlehrerinnen, eine deutsche, eine italienische. Jede von ihnen lernt die andere Sprache. Wenn wir etwas auf Italienisch sagen wollen, können wir das. Italienische Eltern besuchen in großer Zahl die Elternabende – und sie trauen sich, etwas zu sagen. Viele der deutschsprachigen Eltern besuchen Italienischkurse. Auch wir Erwachsenen lernen miteinander und voneinander. Wir sind nicht »Ausländer« und »Deutsche«, sondern Frau Rossi und Herr Meier.

Da die »bilis«, die Kinder aus den zweisprachigen Klassen, alle gemeinsam um 14.00 Uhr die Schule beenden, begegnen wir

Eltern uns regelmäßig auf dem Schulhof. Es ist für alle schön sich zu treffen, nebenbei Neuigkeiten auszutauschen und Italienisch zu sprechen und zu hören.

So weit zu den vielen Sonnenseiten. Ein paar Schatten gibt es auch: Viele Schüler haben lange Schulwege. Die Kinder müssen wir mit dem Auto bringen und abholen.

Auch die Freundschaften gestalten sich anders. Die Beziehungen zu den Kindern aus dem Wohnviertel werden lockerer. Ich kann meinen Sohn kaum zum Freund um die Ecke spielen schicken. Hat er eine Einladung zum Geburtstag, ist unser ganzer Samstag von den Hin- und Hertransporten bestimmt. Natürlich hat das auch Valerio gemerkt und war darüber traurig. Aber dann habe ich ihm gezeigt, dass letzte Woche der italienische Generalkonsul und die hessische Kultusministerin in seiner Schule waren, um zu sehen, wie er lernt. Dann war er wieder stolz. Und wir auch. Es lohnt sich für uns alle.

Familie Montanari

Was bisher Ausnahme war, wird jetzt Regel. Viele Klassenkameraden sind zweisprachig, und wer es noch nicht ist, will es werden. Die eigene Persönlichkeit mit und zwischen zwei oder mehr Kulturen, das geht vielen Klassenkameraden so. Das stärkt das Selbstbewusstsein. Valerio fühlt: »Ich muss nicht mehr einen Teil von mir verstecken, weil die anderen es komisch finden. Ich darf es zeigen, und die anderen finden es sogar gut!«

Die Kehrseite der Medaille

Selten sind diese Schulen dort, wo man wohnt. Die Jungen und Mädchen müssen gebracht und abgeholt werden, die Freunde wohnen nicht in der gleichen Straße. Es läuft immer auf beträchtliche Wege oder einen Umzug hinaus.

In den ersten Wochen ist praktisch alles unbekannt: Mitschüler, Viertel, Gesichter. Das verunsichert jedoch nur am Anfang.

Häufig müssen Schulgelder oder ähnliche Beiträge gezahlt werden. Sie variieren sehr, mal sind es über 500 Euro pro Monat, mal 75 Euro für die Mensa oder gar nichts. Das hängt von der Schulform ab, davon, ob der zweisprachige Unterricht an einer staatlichen Schule angesiedelt ist oder an einer privaten, ob in dem jeweiligen Bundesland Fördermittel erhalten werden oder nicht. Die Höhe der Beiträge sagt daher wenig über die Qualität aus, mehr über die politisch-organisatorische Struktur der Schule.

Manchmal übernehmen Arbeitgeber die Schulkosten, wenn Mitarbeiter aus den USA nach Deutschland versetzt werden oder bald in englischsprachigen Raum oder nach Übersee entsandt werden sollen.

Leider gibt es nicht für alle Sprachen bilinguale Angebote.

Zweisprachige Schulen oder Schulversuche gibt es in vielen Städten und Gemeinden, doch es sind noch immer weitaus zu wenige. In einigen Gegenden gibt es gar keine bilingualen Unterrichtsformen, die in erreichbarer Nähe liegen. Oft bewerben sich mehr Schüler, als Plätze vorhanden sind. Dann muss schulintern eine Auswahl getroffen werden. Das ist für Schüler und Lehrer unangenehm:

Terribile ed estremamente dolorosa ogni anno, l'esperienza dell'inevitabile rifiuto a tanti bambini che aspirano a frequentare la scuola bilingue.

Furchtbar und schmerzlich ist jedes Jahr die Erfahrung, viele Kinder abweisen zu müssen.

Anna Pagliuca Romano, Lehrerin im deutsch-italienischen Schulversuch Frankfurt/M.[26]

Die Vor- und Nachteile mehrsprachiger Schulformen auf einen Blick:

Pluspunkte	Nachteile
• Das Kind entwickelt beide Sprachen weiter.	• Die Anfahrtswege sind oft lang. Der Schulweg muss gut organisiert werden, es entstehen Wegkosten.
• Es lernt lesen, schreiben, rechnen in beiden Sprachen.	
• Es erlebt seine Zweisprachigkeit als Können, als geschätzt.	• Durch die Fahrzeit haben die Schüler weniger Freizeit. Wer durch die ganze Stadt zur Schule fährt und zurück, hat nach den Hausaufgaben weniger Gelegenheit für Sport oder Musikstunden.
• Interkultureller Dialog wird thematisiert und versucht.	
• Die kulturelle Vielfalt in der Klasse wird angenommen. Interkulturelle Themen werden eher behandelt als in der Regelschule.	• Die Schulen kosten häufig Beiträge, die jedoch sehr unterschiedlich ausfallen. Einige Arbeitgeber übernehmen die Schulgelder.
• Das Kind kann seine Erfahrungen mit mehreren Kulturen mit Freunden und Klassenkameraden teilen.	• Die Kontakte der Kinder im Wohnviertel nehmen ab. Freunde sind über das ganze Stadtgebiet verteilt.
• Wir Eltern werden weniger als Ausländer wahrgenommen – von der eigenen Tochter, der Schule, den Lehrern, anderen Eltern.	• Die ersten Wochen (aber nur die) sind noch etwas schwerer als sonst für diejenigen, die aus ganz anderen Stadtteilen kommen und niemanden kennen.
• Wir fühlen uns an der Schule wohler. Mehr ausländische Elternteile engagieren sich, nehmen an Elternabenden teil.	• Nicht alle Bewerber können aufgenommen werden. Noch gibt es viel zu wenige Plätze.

Pluspunkte	Nachteile
• Wir können bei den Hausaufgaben helfen.	• Es sind nur einige Sprachen vertreten.
• Ein Schulbesuch oder eine Ausbildung im Ausland wird einfacher.	

Die verschiedenen Schulformen

Fast die gleichen Namen und dabei sehr unterschiedliche Inhalte
– ein Verwirrspiel ist es auf den ersten Blick mit Europäischen
Schulen und Europaschulen, die alle irgendwie international sind
und trotzdem keine Internationalen Schulen. In jedem Fall lohnt
sich das Gespräch mit der Schule vor Ort. Letztlich machen immer Menschen den Unterricht und nicht Programme.

Internationale Schulen
Die Unterrichtssprache ist Englisch, und oft gibt es ausgezeichnete pädagogische Angebote. Das Schulgeld ist beträchtlich.
Sie sind ursprünglich gedacht für Schüler, deren Familien
dauernd von einem Kontinent in den nächsten ziehen. Sie sollen
ihre Ausbildung in Australien beginnen, in Europa fortsetzen und
in Asien beenden können. Darum orientieren sich Internationale
Schulen wenig an nationalen Schulformen. Sie ermöglichen Abschlüsse, die weltweit anerkannt sind, meist dazu auch einen nationalen Abschluss. Auch Schüler, die fest am Ort leben, sind
willkommen.
Internationale Schulen sind vor allem englischsprachige
Schulen nach westlichem Modell. Fremdsprachen werden ausgiebig gelernt und vielfältig angeboten. Eine spanisch-deutschsprachige Zweisprachigkeit beispielsweise wird hier jedoch nicht

direkt gefördert, eher eine Mehrsprachigkeit im Sinne von »Englisch und mehr«.

Nach einem Gespräch mit der International School in der Nähe können Sie sich ein genaueres Bild machen. Sie finden sie auch im Internet.

Europäische Schulen

Sie wurden für die Söhne und Töchter der vielen EU-Behördenangestellten gegründet. Für sie ist die Schule kostenfrei. Freie Plätze dürfen auch andere Schüler einnehmen, aber sie müssen Beiträge zahlen.

In diesen Bildungseinrichtungen soll Europa zusammenwachsen. Junge Menschen aus allen Mitgliedsstaaten werden vom Kindergartenalter an zusammen unterrichtet. Sie erfahren ihre Gemeinsamkeiten, während sie die eigene Herkunft achten. In Europäischen Stunden haben mehrsprachige Aktivitäten Raum, hier sollen die Nationen besonders zusammenfinden. Sportwettbewerbe, ein modellhaftes Europaparlament und Jugendkulturtage gehören zum Programm. Die Schüler erhalten sehr viel Unterricht in einer zweiten Sprache, die sie unter Französisch, Englisch und Deutsch wählen können, sowie Sachkundeunterricht darin. Später kommen eine oder, wenn gewünscht, sogar zwei weitere Sprachen dazu. Das macht dann vier!

Um kein Inseldasein zu fristen, bemühen sich diese Schulen um intensive Kontakte zu den anderen Schulen vor Ort. Sie laden Praktikanten ein und veranstalten Tage der offenen Tür.

Hier erlangen die Schüler das Europa-Abitur, das von allen EU-Mitgliedsstaaten anerkannt wird. Dazu noch ein Detail: Das deutsche Abitur wird ebenfalls in allen EU-Staaten anerkannt. Das Europa-Abitur ist also in dieser Hinsicht nicht besser, nur anders. Als Europäische Schule musste ein gemeinsamer Schulabschluss formuliert werden.

Es werden nur Sprachen der EU angeboten. In Deutschland gibt es drei ihrer Art: in Karlsruhe, München und Frankfurt/Main.

Im Internet stellen sie sich selbst auf Deutsch, Englisch und Französisch dar unter www.eursc.org.

Europaschulen und Schulversuche an staatlichen Schulen

In den letzten Jahren wurde eine ganze Reihe sehr interessanter Schulversuche an staatlichen Schulen begonnen. Zusammen mit Konsulaten, Ministerien und oft Vereinen wird innerhalb einer staatlichen Schule ein Klassenzug bilingual deutsch-türkisch (-spanisch, -italienisch ...) unterrichtet. In der Regel gibt es zwei Klassenlehrerinnen, eine deutschsprachige, eine der Partnersprache. Teilweise haben beide eine ganze Planstelle, teilweise hat die fremdsprachige Lehrkraft eine Teilzeitstelle. Dementsprechend weniger Unterricht kann sie erteilen. Leitfaden ist oft die Tandemidee. Bei diesem Modell sollen die Schüler voneinander profitieren. Deutschsprachige Kinder lernen von den mehrsprachigen Kindern; die türkischsprachigen (oder italienischen ...) lernen mit und von den deutschsprachigen Klassenkameraden. Dabei ist »mit« mindestens genauso wichtig wie »von«: Interkultureller Dialog, Verständigung über ethnische Grenzen hinweg sollen gelernt und geübt werden. Das Miteinanderlernen wird normal. Rassismus und Ausländerwitze sind seltener.

I bambini mi sembrano più completi, con personalità più forti. Mi sembrano più consapevoli di sé stessi. Danno risposte più complesse rispetto a studenti che imparano l'italiano come lingua straniera. Anche i bambini di lingua tedesca che, all'inizio del loro periodo scolastico non conoscevano l'italiano, adesso

Die Schüler kommen mir vollständiger vor, sind sich ihrer selbst bewusster. Sie antworten komplexer als Schüler, die Italienisch als Fremdsprache lernen. Auch die deutschsprachigen Kinder, die bei Schulanfang gar kein Italienisch kannten, beherrschen es jetzt gut. In den Schulen wird die Sprache der Kinder nicht

lo conoscono abbastanza bene.
Nelle scuole non sempre la lingua che i bambini portano viene considerata un patrimonio positivo. Al contrario, qualche volta essa viene considerata solamente un fatto di interferenza. Invece nella scuola bilingue la cultura che i bambini portano viene valutata positivamente.

immer als ein Wert geschätzt. Im Gegenteil, manchmal wird sie nur als Interferenzfaktor betrachtet. Dagegen wird in der bilingualen Schule die Kultur, die die Schüler mitbringen, positiv gewertet.

Gilda, italienische Lehrerin einer bilingualen Klasse an einem deutschen Gymnasium

Viele dieser Schulversuche sind aus der Initiative von Eltern entstanden, die ihren Kindern neue Lernformen ermöglichen wollten. Zwei Beispiele dafür sind die Frankfurter Versuche für Italienisch und Französisch. Das zeigt, Elternengagement kann Erfolg haben!

In Berlin heißt dieser Versuch Staatliche Europaschule Berlin (aber nicht: Europäische Schule). Er erstreckt sich auf mittlerweile 17 Schulen und neun Sprachen: Türkisch, Polnisch, Portugiesisch neben Neugriechisch, Russisch, Italienisch, Spanisch, Französisch und Englisch.

Die Arbeitsweisen der einzelnen Versuche sind ebenso vielfältig wie die Konzepte, die sie entwickelt haben. Viele Unterschiede gibt es schon allein, weil jeweils die Gesetze der Bundesländer gelten, und die sind in Hessen anders als in Bayern. Es ist ein spannendes Neuland, das Lehrer, Schüler und Eltern betreten.

Wieder ist es am leichtesten, eine Schule für Englisch oder Französisch zu finden, aber auch einige andere Sprachen sind im Angebot. Es werden die deutschen Schulabschlüsse erlangt.

Achtung, Wortspiel! Nicht alle Europaschulen sind zweisprachig. In Darmstadt gibt es zum Beispiel eine Gesamtschule, die diesen Titel trägt, weil sie sich vorbildhaft für interkulturelles

Lernen einsetzt. Es gibt eine ganze Reihe von Europaschulen im Bundesgebiet, die zum Teil zweisprachig sind oder sich für das Zusammenleben einsetzen. Sie stehen im Netz unter der Bandwurmadresse: www.dipf.de/dipf/bildungsinformation_iud_eudok_schul_list.htm.

Schulen unterschiedlicher Träger
Eine Vielfalt an Trägern unterhalten Schulen, so verschieden wie z.B. das kirchliche italienische Internat in Stommeln bei Köln und die amerikanischsprachige Kennedyschool in Berlin. In vielen Großstädten gibt es lange Traditionen französischer Gymnasien und griechischer Schulen. Sie unterscheiden sich alle voneinander. Am besten ist wieder, wir informieren uns direkt bei der Schule.

Ihnen gemeinsam ist, dass sie einen Tag der offenen Tür anbieten. Bei dieser Gelegenheit, aber auch bei Sommerfesten, Theateraufführungen und ähnlichen Anlässen kann man hineinschnuppern, das Kollegium und die Atmosphäre kennen lernen und Erfahrungen austauschen.

Wie finde ich heraus, was es in unserer Gegend gibt?

Auskünfte erteilen die Staatlichen Schulämter, die im Telefonbuch stehen. Andere Eltern können viel Wichtiges und Interessantes aus ihren eigenen Erfahrungen berichten. Dann können wir uns bei der Schulleitung informieren, eventuell einen Gesprächstermin vereinbaren oder zum Tag der offenen Tür kommen. Viele Fragen können wir auch der Sekretärin stellen.

Viele Konsulate und Botschaften haben Mitarbeiter für Schulfragen. Sie sind dazu da, Auskünfte zu erteilen.

Unter www.bildungsserver.de finden wir jede Menge Informationen über Unterricht, Schulen und vieles mehr auf Englisch, Französisch und Deutsch. Auch die Adressen deutscher Auslandsschulen sind dort aufgeführt. Schulen mit bilingualem Angebot sind unter http://lernen.bildung.hessen.de/bilingual/schulverweise/schulen aufgelistet. Viele Schulen haben einen eigenen Eintrag. Leider sind nicht alle Schulen zu finden, oder sie stehen auf Unterseiten. Ein Anruf beim Staatlichen Schulamt lohnt sich daher immer noch.

Und nach der Grundschule?

In Kanada gibt es seit 30 Jahren Schulversuche. Eine Faustregel aus diesen Erfahrungen lautet: Die Kinder vergessen so schnell, wie sie lernen. Darum ist es wichtig, dass die erlernten Fähigkeiten weiter genutzt werden. Am besten geschieht das, wenn auch die weiterführende Schule zweisprachig ist oder immerhin Fachunterricht in der zweiten Sprache anbietet. Vielleicht ist das manchmal unmöglich, dann ist es nicht zu ändern. Ist es jedoch machbar, dann kann unser Hoffnungsträger den einmal geebneten Weg dort gut weitergehen.

 Zusammengefasst

Für die sprachliche, geistige und persönliche Entwicklung des Kindes bieten mehrsprachige Schulen viele Vorteile. Eltern fühlen sich in ihnen oft besser angenommen. Jedoch entstehen häufig längere Schulwege. Da nicht alle Kinder aufgenommen werden können, gibt es Auswahlverfahren.

Es existieren

▲ Internationale Schulen,
▲ Europäische Schulen,
▲ zweisprachige Schulversuche an staatlichen Schulen,
▲ Europaschulen und
▲ mehrsprachige Schulen verschiedener Träger.

Sie bieten alle Verschiedenes an. Wieder ist es leichter, etwas für Englisch zu finden als für andere Sprachen. Europaschulen können, aber müssen nicht zweisprachig sein. Auskünfte erhalten Sie bei dem Staatlichen Schulamt, das Sie im Telefonbuch finden, bei den Konsulaten und anderen Eltern und unter www.bildungsserver.de.

Hausaufgaben

Ich bin Deutsche und mein Mann Ire. Wir leben in England. Zu Hause sprechen wir Deutsch mit unseren beiden Söhnen (drei und sechs Jahre). Ian kommt jetzt in die englische Schule. In welcher Sprache sollen wir ihm bei den Hausaufgaben helfen?

Sabine, London

Mit den Hausaufgaben wird ein Stück Schule mitgebracht: die spanischen Erbfolgekriege, Multiplizieren über hundert und die Wörter und Sätze, in denen all das besprochen wurde, in der Schulsprache. Für die jungen Lerner liegt es daher nahe, auch über die Hausaufgaben in dieser Sprache zu reden.

Wenn wir es jedoch schaffen, die Aufgaben in unserer Sprache zu behandeln, erreichen wir enorme Vorteile für die sprachliche und geistige Entwicklung bei unseren Kids. So können sie ihre gesamten Erfahrungen nutzen und mit dem Gelernten verbinden.

Indem wir erklären, fragen und besprechen, durchleuchten wir alle Sachverhalte noch einmal und klären noch offene Fragen. Einzelne Ausdrücke werden dabei zunächst fehlen, aber sie sind schnell gelernt, und so wächst der Wortschatz auch.

Für die Unterhaltung zu Hause bringt das viele Pluspunkte. Sie hält mit der Klasse Schritt. Wir verständigen uns nicht nur über Alltagsthemen, sondern auch über Geschichte, Mathematik, Naturwissenschaften. So ergeben sich für die zweite Sprache immer neue Situationen.

We often read the girl's school books together in English and then discuss the content in German. The older one might ask me in German how to spell an English word, I give her the spelling in English and we then revert back to German. Sounds confusing, I know, but as often reality is smoother than the theory.

Wir lesen oft die Schulbücher zusammen auf Englisch und besprechen den Inhalt auf Deutsch. Manchmal fragt mich die Ältere, wie ein Wort auf Englisch geschrieben wird, ich buchstabiere auf Englisch und dann wechseln wir zurück ins Deutsche. Es hört sich verwirrend an, ich weiß, aber die Wirklichkeit ist oft vielschichtiger als die Theorie.

Erika, England[27]

Hausaufgaben in unserer Sprache zu besprechen ist ein Experiment. Darum beobachten wir, wie unser Schüler reagiert. Alle können dabei viel gewinnen. Gerade der Anfang ist hier als Weichenstellung besonders wichtig.

Ehrlicherweise sollte dazu gesagt werden, dass die meisten Eltern mehr und mehr die Hausaufgaben in der Schulsprache besprechen. Doch auch wenn wir manches in einer, anderes in der Schulsprache behandeln, gibt es viele Anregungen für die Kommunikation zu Hause.

Zusammengefasst

Für die Schüler ist es oft naheliegender, Hausaufgaben in der Unterrichtssprache zu besprechen. Wenn wir es schaffen, dass das in unserer Sprache geschieht, lernen unsere Kinder doppelt dazu.

Elternschule: Meine Rolle im zweisprachigen Unterricht

Ich habe die beste Schule ausgewählt, den Fahrweg geprüft, den Ranzen gekauft – reicht das? Darüber sprach ich mit Gloria Dahl, Lehrerin der deutsch-italienischen Klasse 2 b in Frankfurt:

I genitori possono creare in casa un ambiente bilingue, con la televisione italiana, con libri italiani, cercando amici italiani che abitino vicino. I papà e le mamme possono imparare insieme ai figli e persino divertirsi. In questo modo le lezioni hanno a che fare con la quotidianità, non rimangono qualcosa di isolato; la famiglia cambia prospettiva e comincia a pensare in due lingue.

Die Eltern können zu Hause eine zweisprachige Umgebung schaffen: mit italienischem Fernsehen, italienischen Büchern und Freundschaften mit hier lebenden Italienern. Mütter und Väter können selbst mitlernen. Das macht Spaß, und so hat der Unterricht etwas mit dem Alltag des Kindes zu tun und ist nicht isoliert. Die Familie ändert den Blickwinkel: Sie beginnt in zwei Sprachen zu denken.

Gloria Dahl, Lehrerin

Es stimmt also doch, wenn meine Freundin sagt: »*unsere* Einschulung«. Wir Mütter und Väter gehören genauso dazu wie Schülerinnen und Schüler. Wie unterstützen wir sie am besten?

Lernen in Tomatensoße

Deutsche Mama, italienische Lehrerin? Kommt die Unterrichtssprache zu Hause gar nicht vor? Dann ändern wir das! Mit Lasagne im Bauch und Gianna Nannini im Ohr, den Fotos vom Toskanaurlaub auf dem Tisch und Pinocchio im Bücherregal sind meine drei Racker den ganzen Tag in Italien. Mein Italienisch ist ganz passabel, doch die Hausaufgaben kontrollieren wir zusammen mit dem Lexikon. So sicher bin ich mir nicht, ob man »cappello« (Hut) nun mit einem oder zwei p schreibt. Und mein Großer lernt gleich mit, wozu ein Lexikon gut ist, dass man nicht perfekt sein muss, sondern nachschlagen kann, und dass ich mitlerne. »Ich hab es doch gleich gesagt, Mama!« – mittlerweile hat er öfter Recht als ich. Dann freuen wir uns beide über unseren Erfolg. Er, weil er es gewusst hat, und ich, weil sich die Fahrerei zu der Schule lohnt.

In den Ferien gibt es Intensivstunden am Strand. Ob Riviera oder Adria, Sizilien oder Ligurien: Beim Baden, Sandburgenbauen und Eiskaufen suchen sich meine Söhne Freunde, spielen, unterhalten sich mit Gleichaltrigen, ihren Eltern, schwimmen, streiten. Und was lernen sie am schnellsten? Schimpfwörter ... Ich hoffe, mein Sohn hat sie nicht so oft in der Schule benutzt. An Redefluss, Ausdruck und Freude hat er jedenfalls am Strand eine Unmenge gelernt.

Mitlernen

Die deutschen Eltern im Schulversuch drücken einmal in der Woche selbst die Schulbank, im Italienischkurs.

Es ist eine nette Stimmung da, alle sind ziemlich motiviert und kommen regelmäßig, je nachdem, wie sie es einrichten können.

Ich kann kein Italienisch, und Lion lernt es und hat manchmal Fragen. Noch bin ich auf einem Stand, wo ich ihm ab und zu etwas helfen kann. Ich kann mehr damit anfangen, wenn er etwas singt oder erzählt, ich kann mir etwas darunter vorstellen, auch wenn ich nicht jedes Wort verstehe – und zum anderen habe ich persönlich auch Lust dazu.

Martina, Frankfurt/M.

Ob von der Schule organisiert, vom Elternverein oder bei der Volkshochschule, im Eigenstudium mit Disketten oder Büchern: Es gibt uns und den Schülern viel, wenn wir mitlernen. Wir zeigen: Was du lernst, ist so wichtig, dass ich es auch tue.

Mitarbeit

Elternabende sollen wir besuchen, es gibt viele Regeln, vom Entschuldigungsschreiben bis zur Unterschrift auf dem Zeugnis, Lehrer wünschen unsere Mitarbeit. Gerade viele ausländische Partner und Eltern erleben mit deutschen Lehrern nicht nur Erfreuliches, die Liste des gegenseitigen Nichtverstehens ist lang. Die Hamburger Erziehungswissenschaftlerin Ingrid Gogolin kritisiert die häufige Unfähigkeit der Schule, sich auf interkulturelle Situationen einzustellen. Sie hat dafür den schönen Ausdruck vom »monolingualen Habitus der multilingualen Schule« gefunden.[28] Das bedeutet, wir haben zwar viele Sprachen in der Klasse, tun aber so, als gäbe es nur eine.

Bei mehrsprachigen Unterrichtsformen ist das häufig anders. Schon am Pult, im Kollegium geht es international zu. Oft sind auch die Lehrer Lernende, beherrschen die zweite Sprache in unterschiedlichen Graden. Die ausländischen Eltern werden als die erlebt, die eben das Französische (Türkische, Englische ...) so wunderbar kennen, dass man sich als deutscher Lehrer-Lerner freut, zu verstehen. Dann fallen auch ein paar Artikelfehler nicht mehr ins Gewicht. Dementsprechend funktioniert die Kommunikation zwischen Eltern und Lehrern meist besser, Elternabende sind gut besucht, Schwierigkeiten können besprochen werden.

Zusammengefasst

Nicht nur die Kinder, auch wir Eltern gehen zur Schule. Wir können eine optimale Umgebung zu Hause schaffen, in der beide Unterrichtssprachen ihren Platz haben. Lernen wir mit, unterstützen wir. In zweisprachigen Bildungsformen ist es für ausländische Eltern meist angenehmer, sich zu beteiligen.

Ist Mischen gut oder schlecht?

Sometimes I'll Start a Sentence in Spanish Y TERMINO EN ESPAÑOL

»Manchmal beginne ich einen Satz auf Spanisch und beende ihn auf Spanisch«[29] – dieser Doppelversprecher zeigt auf den ersten Blick: Es ist gar nicht so leicht, nur eine Sprache durchzuhalten. Wir leihen Wörter, mischen Sätze, benutzen Ausdrücke, die wir für zutreffender halten, oder Laute aus einer anderen Sprache, schalten zwischen Sprachen hin und her.[30]

Welcher und ob ein Unterschied besteht zwischen Leihen, Umschalten und Mischen, darüber streiten sich die Geister. Einig sind sie sich darin, dass die Unterscheidung oft schwierig oder sogar unmöglich ist. Diese vielen Begriffe definieren die Autorinnen und Autoren verschieden, und daher spreche ich lieber von Sprachkontakt.[31] Wenn zwei oder mehr Sprachen in einem Gehirn, in einer Person oder einer Gesellschaft in Kontakt treten, dann beobachten wir, wie sie sich gegenseitig beeinflussen.

I mean I'm guilty in that sense ਕਿ ਜ਼ਿਆਦਾ ਅਸੀਂ English ਹੀ ਬੋਲਦੇ ਫਿਰ ਓਹਦੇ ਨਾਲ ਇੱਦਾਂ ਗੁੰਦਾ ਕਿ ਤੁਹਾਡੀ ਜੇਹੜੀ ਜ਼ਬਾਨ ਹੈ ਨਾ ਓਹਦੇ ਹਰ ਇਕ sentence ਵਿਚ ਜੇ ਦੋ ਤਿੰਨ English ਦੇ word ਹੁੰਦੇ ... but I think that's wrong. I mean ਮੈਂ ਖੁਦ ਕਹਿਨਾਂ ਮੈਂ ਕਿ, ਨਾ , ਜਦੋਂ ਪੰਜਾਬੀ ਬੋਲਾਂ, pure ਪੰਜਾਬੀ ਬੋਲਾਂ, ਅਸੀਂ mix ਕਰਦੇ ਰਹਿਨੇਂ ਹਾਂ. I mean, unconsciously, subconsciously, ਕਰੀ ਜਾਨੇਂ, you know, ਪਰ I wish, you know ਕਿ ਮੈਂ pure ਪੰਜਾਬੀ ਬੋਲ ਸਕਾਂ.

Ich meine, ich bin selbst schuld in dem Sinn, dass wir mehr und mehr Englisch sprechen, und was passiert, wenn du deine eigene Sprache sprichst? Du bekommst zwei oder drei englische Wörter in jeden Satz ... aber ich denke, das ist falsch. Ich meine, ich persönlich würde gerne reines Pandschabi reden, immer wenn ich Pandschabi benutze. Wir mischen weiter. Ich meine, unbewusst, unterbewusst machen wir es weiter, aber weißt du, ich wünschte, ich könnte reines Pandschabi reden.[32]

Dieser Mann beschreibt, was er fühlt. Darüber hinaus drückt er es in zwei Sprachen aus. Manches sagt er auf Englisch, manches auf Pandschabi. Ist das wild gemischt oder kann man Regeln beobachten?

Mischen und Regelmäßigkeiten

Es gibt typische Techniken beim Mischen mehrerer Sprachen und zwar mindestens diese drei: das Einfügen einzelner Elemente, das Schalten zwischen Sätzen und mitten im Satz.[33]

- Einfügen einzelner Elemente: *you know* (weißt du?) oder *I wish* (ich wünschte). Wie Einsprengsel setzt er sie mitten in den Pandschabi-Satz.
- Zwischen Sätzen: Unser Sprecher beginnt Englisch: *I mean I'm guilty in that sense* (Ich meine, ich bin selbst schuld in dem

170

Sinn). Dann kommt der Nebensatz. Den sagt er auf Pandschabi (dass wir mehr und mehr Englisch sprechen, und was passiert, wenn du deine eigene Sprache sprichst?).

Die kanadische Wissenschaftlerin Shana Poplack meint, dass man für das Schalten zwischen Sätzen beide Sprachen sehr gut kennen muss – schließlich müssen zwei Grammatiken in Einklang gebracht werden.

● Mitten im Satz: Das sind die halsbrecherischsten Seilakte zwischen zwei Grammatiken. Sprecher schalten mitten im Satz um, manchmal sogar mitten im Wort wie: *Ich cover michself up*. Das sagt die zweieinhalbjährige Hannah in einer Tübinger Untersuchung.[34] Manchmal werden sogar Wörter gebildet, die von beiden Sprachen etwas haben, wie Käse + cheese = *Tschise*, (mit dem deutschen summenden Ende -se), eine Schöpfung der dreieinhalbjährigen Hildegard Leopold.[35]

Professor Poplack meint, nur die Zweisprachigen, die beide Sprachen sehr gut beherrschen, haben den Mut zu solch wagemutigen Konstruktionen. Ihr Kollege Weinreich findet genau das Gegenteil: Der beste Zweisprachige wechselt seiner Meinung nach kaum.[36]

Diese Mischungen sind oft wunderbar, wie die folgende von Werner Leopold. Er war Linguist und lieferte eine der grundlegenden Studien über die zweisprachige Entwicklung seiner Töchter.

Hildegard (zweieinhalb Jahre): What is in you, Papa? *(Was ist in dir drin?)*
Vater: Knochen.
Hildegard: Beans? *(Bohnen? – Hildegard sucht das richtige Wort.)*
Der Vater überlegt und macht eine Ausnahme. Um ihr zu helfen, sagt er das englische Wort: No, bones. *(Nein, Knochen.)*
Hildegard: Bohnen![37]

Diese Geschichte stammt von Professor Tracy, einer Sprachwissenschaftlerin der Universität Mannheim:

Mein Sohn schlug mal vor (da war er in der Grundschule), man könnte doch auch sagen: »Thank you very Dreck.« *(engl. much > deutsch »Matsch« > deutsch »Dreck«, englisch ausgesprochen.)* Ich brauchte EWIG, um das zu verstehen, er lachte sich kaputt.

Rosemarie Tracy, Mannheim

 Zusammengefasst

Wenn zwei oder mehr Sprachen in einer Person, einer Familie oder Gesellschaft in Kontakt treten, dann bemerken wir, wie sie sich beeinflussen. Kinder mischen Laute, Grammatik, Worte, zwischen Sätzen oder mittendrin, und oft sind es faszinierende Schöpfungen.

Pro und Contra

Wie sollen wir es werten, wenn Joe beide Sprachen zusammen verwendet? Ist das gut oder schlecht, vielleicht sogar ein Zeichen von Intelligenz? Hört es von alleine auf?

Mischen bei kleinen Kindern

Einige Kinder mischen viel zwischen dem zweiten und dritten Lebensjahr. Oft liegt das daran, dass ihnen noch die Wörter fehlen, und so leihen sie aus der anderen Sprache. Manchmal machen sie sogar eine kurze Pause davor. Wenn mit drei, vier Jahren ihr Wortschatz groß genug ist, tun sie das sehr viel seltener.

Harrison ist zweieinhalb Jahre alt. Er spricht Deutsch und Englisch. Nicht immer verstehen ihn Außenstehende, wenn er beides vermischt. Es hat den Anschein, dass ihn das frustriert. Wenn die Großeltern anrufen, muss ich neben dem Telefon stehen und für sie übersetzen.

Sophia, Frankfurt/M.

Nach allem, was wir wissen, gehen wir davon aus, dass er beide Sprachen im Kopf, auf der Kompetenzebene, als eigene Systeme begreift. Bald werden ihn die anderen gut verstehen.

Was ist, wenn Schüler oder Jugendliche mischen?

Dazu gibt es verschiedene Meinungen:

Contra:

Die meisten Deutschlehrer finden es schrecklich. Eltern mögen es nicht. Verwandte reagieren besorgt. Viele meinen, wer mischt, beherrsche keine Sprache richtig. Wer ein Wort entleiht, ist faul oder kennt das richtige Wort nicht. Es gibt nur eine Form, die von allen akzeptiert wird: wenn die Sprache gewechselt wird, um sich an jemanden zu wenden, der nur diese versteht.

Wieder spielt die Umgebung eine große Rolle. In Deutschland begreifen sich die meisten Menschen als einsprachig. Mischungen werden als Fehler angesehen, als Reparatur, weil jemand das »richtige« Wort nicht weiß. In mehrsprachigen Gesellschaften ist das anders.

Eine Deutschlehrerin erzählt:

Im Moment habe ich zwei italienische Schüler, einen Jungen und ein Mädchen. Sie sind hier geboren und sprechen Italienisch zu Hause. Beide haben große Schwierigkeiten im Deutschen.

Sie machen andere Fehler als andere Kinder. Der Junge schreibt praktisch nach dem Hören etwas auf, da muss man genau hingucken, was er nun meint. Wenn er ein »H« am Anfang hört, dann schreibt er es so, aber sie haben bei uns kein »H« und schon gar nicht am Anfang. Das Mädchen unterscheidet die I-Laute nicht richtig – also im, ihm und hier. Da hat sie fast immer ein »h« dabei. Sie schreibt »in« mit »h« und »ihn«, also genau das andere, ohne »h«. Ich verhalte mich leider da ganz normal – das ist jedes Mal ein Fehler. Ich hab keinen Spielraum.

Die Aufsätze zeichnen sich durch einen selbst gemachten Ausdruck aus, der mit dem so genannten guten Deutsch oft nichts zu tun hat. Man kann sie verstehen, man weiß, was sie ausdrücken wollen, aber es fehlt ihnen noch enorm an der Sprache, um einen guten Satz zu bilden. Der Ausdruck ist dann einfach falsch, was wir dann am Rand mit einem Ausdrucksfehler anmerken. Die Verben sind falsch gestellt, Ausdrücke falsch verwendet, Verben falsch verwendet, also ein Verb wird in einem Zusammenhang verwendet, in den es nicht gehört.

Auch wenn ich Italienisch könnte, müsste ich den Fehler, den das Kind im Deutschen macht, trotzdem als falsch bewerten – auch wenn ich vom Italienischen her mir erklären kann, warum das Kind es so macht. Ich kann das deshalb nicht entschuldigen. Ich muss es ja trotzdem in der Schule beurteilen innerhalb der Klasse. Da darf ich also nicht sagen: »Das Kind ist Italienerin und kommt deshalb zu diesem Satzbau« – das kann ich nicht machen.

Eine Deutschlehrerin für die Mittelstufe
(Klasse 5 bis 10) an einer Gesamtschule

Diese Lehrerin hat sehr viel Erfahrung und ist eine engagierte Frau. Doch für alles, was nicht nach den Duden-Regeln auf dem Papier steht, hat sie nur ein Wort: falsch. Sie ist sicher eine gute Lehrerin. Aber eine Bewunderung für die komplexen Leistungen Zweisprachiger und ihr Jonglieren mit zwei Systemen kann sie nicht entwickeln. Der i-Fehler, den sie beschreibt, kann vielleicht sogar damit erklärt werden, dass auf Italienisch jedes i lang ist, jedenfalls länger als in »in« oder »mit«. Als Sprachwissenschaftlerin bin ich betroffen – aber sie drückt sehr genau die Realität aus: »Auch wenn ich vom Italienischen her erklären kann, warum das Kind diesen Fehler macht, kann ich das nicht entschuldigen.« Genau so ist es. Sie ist an die verschiedensten Lehr- und Rahmenpläne gebunden.

Pro

Eine Bereicherung

Zweisprachige selbst finden es eine Bereicherung. »Ich lebe immer mit zwei Sprachen, warum soll ich eine verstecken?« Dieses Wort passt jetzt besser, jene Formulierung ist lustiger, es fällt eben gerade nur eines ein – viele Gründe lassen uns switchen und surfen auf den Wellen der Sprachen.

My ex-husband is German – I'm English. Our main »family« language was German. We separated when our daughter was seven months old. I have spoken both English and German to my daughter since she was born, my husband spoke German to her during the short time they lived together and has continued to do that

Mein Ex-Mann ist Deutscher, ich bin Engländerin. Unser Hauptfamiliensprache war Deutsch. Wir trennten uns, als unsere Tochter sieben Monate alt war. Ich habe von Geburt an Deutsch und Englisch mit meiner Tochter geredet, mein Mann wandte sich auf Deutsch an sie in der kurzen Zeit, die sie zusammen-

during visits since the split. From the age of five months, my daughter was looked after half-days by a German »Tagesmutter« and was with me the rest of the time. Social life consisted of both German and English-speaking contacts, so both languages were about equally prominent. At the age of 2 ½, my daughter went to an international kindergarten, where the main language was English. Still, we spoke both German and English in all aspects of life. My daughter switched to a German kindergarten at the age of five in preparation for German »Grundschule«. Now eight years old, she has no problems at all switching from the one or other language – she is equally fluent in both, speaks both accent-free, but there are gaps in her English knowledge of childhood things in that she has learned most of her English from adults and tends to speak English like a 40-year old. I have since remarried and my new husband is English and fluent in German (we work as translators). Again, the family

lebten. Das macht er während seiner Besuche seit der Trennung genauso. Ab dem Alter von fünf Monaten kümmerte sich eine deutsche Tagesmutter halbtags um die Kleine, den Rest des Tages verbrachte sie mit mir. Wir haben Bekanntschaften auf Deutsch und Englisch, so dass beide Sprachen gleich wichtig sind. Mit 2 ½ Jahren besuchte meine Tochter einen internationalen Kindergarten. Dort wurde hauptsächlich Englisch verwendet. Wir redeten weiter über alles auf Deutsch und Englisch. Mit fünf kam sie in einen deutschen Kindergarten, als Vorbereitung auf die Grundschule. Jetzt ist sie acht, fließend in beiden Sprachen und schaltet mühelos hin und her. Sie spricht akzentfrei. Es gibt Lücken in ihrem englischen Wissen über Kinderthemen – sie hat fast alles von Erwachsenen gelernt und spricht wie eine Vierzigjährige. Ich habe wieder geheiratet. Mein neuer Mann ist Engländer und beherrscht Deutsch fließend – wir arbeiten als Übersetzer. Wieder schaltet die Familie locker zwischen

switches between the two languages with ease and we often don't really notice which language we are using. Generally, if a conversation starts in German it continues that way and vice versa.

We accommodate the languages of our family members and friends. If we have a particular experience in one language, we tend to discuss it in the other to ensure our daughter acquires the terminology and is able to express herself well. Language is and never has been a problem. Bilingualism is a fascinating subject and a gift to all children fortunate to grow up with two or more languages.

den Sprachen, oft bemerken wir nicht, welche wir gerade benutzen. Normalerweise führen wir eine Unterhaltung auf Deutsch weiter, wenn wir sie so begonnen haben.

Wir stimmen es mit den Kenntnissen der anderen Familienmitglieder und Freunde ab. Wenn wir eine besondere Erfahrung in einer Sprache haben, dann diskutieren wir sie gern in der anderen, so dass unsere Tochter die Wörter lernt und sich gut ausdrücken kann. Sprache war und ist kein Problem. Zweisprachigkeit ist ein faszinierendes Thema und ein Geschenk für alle Kinder, die das Glück haben, mit zwei oder mehr Sprachen aufzuwachsen.

Carol

Kein Lückenfüller

Sprachwissenschaftler stellen immer wieder fest, dass Sprecher beide Ausdrücke kennen, zum Beispiel bei: »Every time I got a connection, the computer would abstürz.«[38] Eher funkt das Unterbewusstsein dazwischen und zeigt, wie wir beide Sprachen benutzen und im Gehirn verbinden.

Mein Mann und ich sind beide zweisprachig, Italienisch und Englisch. Für uns ist es ganz natürlich, beide Sprachen zu sprechen. Beim Abendessen sprechen wir alle Sprachen, mein Mann beginnt auf Italienisch, dann wechseln wir das Thema, die Kinder benutzen Deutsch untereinander, meine Tochter spricht hauptsächlich Italienisch mit mir. Mein Sohn ist begeisterter Fußballer – darüber sprechen wir nur auf Italienisch. Von der Schule erzählen wir nur auf Deutsch. In Italien sprechen wir nur Italienisch. Dort wissen die anderen nicht, dass unsere Kinder noch andere Sprachen kennen.

Giulia, Frankfurt/M.

Die Gruppe redet mit

Oft kann man bemerken, dass Sprachen in zweisprachigen Gruppen gemischt werden. Wenn die Kinder oder Jugendlichen merken, dass die anderen nur eine Sprache verstehen, benutzen sie diese. Mischungen werden viel seltener.

In der U-Bahn beobachte ich immer wieder Jugendliche, die ihre Sprache phasenweise wechseln und manchmal darin mischen. Eine Geschichte wird auf Deutsch erzählt, die anderen sagen etwas auf Deutsch dazu. Dann erzählt einer die nächste Geschichte in einer mir unverständlichen Sprache. Die anderen kommentieren dann genauso unverständlich für mich. Ab und zu meine ich ein paar deutsche Wörter aufzuschnappen oder vielleicht auch nur Elemente, wie »weißt«. Auch so versichern sie sich ihrer Identität als mehrsprachige Teens, für die Kulturgrenzen zu eng geworden sind.

Ich frage mich, ob die Wechsel von dem »Anführer« initiiert werden, aber das ist natürlich Spekulation.

Geht es überhaupt ohne Mischen?

Sosehr wir uns um genaue Trennung bemühen: Auch wir Erwachsene mischen. Ein Wort scheint geeigneter, etwas wie »Kindergeld« existiert nur auf Deutsch – wir sind eben keine Maschinen, die streng nach einer Richtlinie verfahren. Nicht immer ist eine klare Zuordnung der Sprachen möglich, manchmal ist es nicht praktisch, weil ein Erziehender selten zu Hause ist. Es gibt Mehrsprachige, die auf diese Weise aufgewachsen sind und gut sprechen und schreiben. Diese lockere Form ist sprachwissenschaftlich nicht besonders gut untersucht. Die meisten Linguisten sind streng »1:1« verfahren, aber wir müssen anerkennen, dass auch andere Wege zum Ziel führen.

Über Sprachkontakt habe ich mit Prof. Rosemarie Tracy von der Universität Mannheim gesprochen. Sie forscht am Anglistischen Seminar:

Wie kann man Mischen wahrnehmen?
Das hängt davon ab, wie verschieden die Sprachen sind. Im Englischen und Deutschen zum Beispiel gibt es viele Wörter, die sich ähneln. Bei »Bett« und »bed« oder »Bad« und »bath« ist nicht leicht festzustellen, ob das Kind nun das englische oder das deutsche Wort sagt. Je deutlicher die Unterschiede sind, desto besser nehmen wir Mischen wahr.

Was sind die Gründe?
Kinder mischen oft, weil ihnen das Vokabular fehlt oder sie noch Lücken haben. Erwachsene mischen ja auch aus stilistischen Gründen, z.B. indem sie den Witz in einer, die Pointe in einer anderen Sprache erzählen. Manchmal sagen sie etwas in der einen Sprache und heben es in der anderen noch mal hervor, oder sie korrigieren sich in der anderen. Hier ist ein Beispiel aus unseren Erwachsenendaten: »Ich hatte auch so einen Kaffee-, ähh, I mean, Teewagen.«

Das sind Stilmittel. Es ist letztlich schön, wenn Kinder beide Sprachen möglichst gut beherrschen, so dass auch ihnen diese Stilmittel zur Verfügung stehen.

Wie schädlich ist es, wenn zu Hause gemischt wird?

Es gibt eine Reihe von Sprachgemeinschaften, in denen Mischen die Norm ist. Diese Kompetenzen sollen die Kinder schließlich auch erwerben können, sich dieses ganzen Repertoires bedienen können. Es gibt keine Notwendigkeit, solche Mischungen zu unterbinden, mit denen stilistische Effekte erzielt werden. Ich denke, wenn zu Hause mehrere Sprachen gesprochen werden, dann ist es nicht nötig, das verbissen zu trennen. Man kann das auch nicht: Oft ist das Mischen nicht bewusst. Wenn Eltern jetzt anfangen, sich zu kontrollieren, dann erzeugt man nur ein schlechtes Gewissen.

Wir wissen heute, dass dort, wo die Eltern viel mischen, die Kinder nicht unbedingt viel mischen. Das muss sich nicht direkt niederschlagen. Auch bei meinen eigenen Studien habe ich das gesehen. Eltern, die lockerer mit dem Mischen umgehen, haben keineswegs Kinder, die selbst sehr viel mischen. Umgekehrt können Eltern, die sehr streng trennen, durchaus Kinder haben, die sehr stark mischen. Das hört dann auf, wenn die sprachlichen Mittel erworben sind.

Wofür können wir uns entscheiden?

Um in der Schule ebenso wie in der Arbeitswelt ihren Platz zu finden, müssen die Kinder Deutsch ohne Einflüsse anderer Sprachen beherrschen. Das ist die Realität. Sonst können sie die Schule in Deutschland nicht bewältigen und werden bei der Arbeit benachteiligt.

Es wäre alles leichter, wenn LehrerInnen und ErzieherInnen den Reichtum in Sprachkontakterscheinungen erkennen würden. Doch bisher ist jede Mischung noch – ein Fehler.

Zu Haus und unter Freunden besteht mehr Raum für die Ausdrucksweise, in der wir uns am wohlsten fühlen. Irgendwo zwischen »alles ist möglich« und strenger Trennung der Sprachen gibt es unseren Weg. Wenn wir anderen zuhören, merken wir bald: Gefällt mir das? Will ich, dass mein Kind so spricht? Was mag ich, was nicht?

Mehr Anerkennung werden wir in Europa erhalten, wenn wir und unser Nachwuchs wenig mischen. Der Grund ist einfach: In Europa verstehen sich viele Menschen als einsprachig, das ist die Norm.

Mein Resümee

Bei aller Freiheit empfehle ich: Geben wir unserem Schatz genügend Gelegenheiten zu einsprachig deutscher Unterhaltung, damit er in der Schule besteht. Mit Gesprächspartnern kann unser Vorschüler üben, sich auf die Schulsprache zu beschränken. Spielkameraden sind dafür eingeschränkt geeignet. Fünfjährige interessieren sich einfach mehr für die Eisenbahn als für den richtigen Ausdruck. Geeigneter sind geleitete Spielkreise oder Bastelgruppen und jugendliche oder erwachsene Mitspieler, die gerne reden und zuhören. Ausgezeichnet sind Theatergruppen!

Wir selbst trennen sehr genau. Wir lieben Kleist und Pirandello. Wir wollen sie nicht vermischen.

Elke Montanari

Zusammengefasst

Zwei und mehr Sprachen gleichzeitig zu verwenden,

▲ bereichert die Ausdrucksmöglichkeiten und den Stil,
▲ wird oft als Fehler oder Wissenslücke gewertet, vor allem in der Schule.

Für die Schule ist es wichtig, sich nur auf Deutsch ausdrücken zu können. Im Privaten gilt es, den eigenen Weg zwischen genauer Trennung und »alles ist möglich« zu finden.

Lernen die Kinder wirklich so leicht?

Was wir besser vermeiden

Meistens wissen wir selbst am besten, was wir besser nicht getan hätten. Eine kleine Hitliste der häufigsten »don'ts« möchte ich Ihnen nicht vorenthalten.

Sag doch mal was auf ...!

Schweigen. Genau, die Kleinen spielen da einfach nicht mit. Recht haben sie eigentlich, sie sind ja keine Zirkusclowns. Kids sind sehr gut darin, Situationen zu erkennen – möchte hier jemand mit mir reden, geht es um Gespräch, sich verstehen? Oder um Vorführen? Auch wenn sie noch sehr klein sind, analysieren sie die Situation sehr genau. Und schweigen.

Übersetz mal!

Übersetzen, vor allem nach einer Aufforderung, ist eine künstliche Technik. Sie ist unseren Sprösslingen fremd, sie tun es nicht.

Halten sie es für nötig, damit sich alle verstehen, dann übersetzen sie oft ungefragt. Meine Jungs haben im Alter zwischen zwei und drei Jahren alles für meinen Mann und mich gedolmetscht: »Papa hat gesagt, er kommt gleich wieder ...« Dabei verstehen wir uns eigentlich auch so.

Ab morgen nur noch auf ...!

Sie werden es sicher selbst spüren – Sprache ist wie ein Netz, ein Stoff, in dem wir leben. Gefühle sind darin eingewoben, Gewohnheiten, Lieblingslieder, Kuschelverse und Kosenamen. Diesen Stoff sollten wir nicht zerschneiden, auch dann nicht, wenn wir Zweifel daran haben, ob wir ihn richtig gewebt haben.

Plötzliche Wechsel sind schrecklich für alle. Sie wirken wie ein Vertrauensbruch, wie ein Entzug von Liebe. »Warum redet Daddy auf einmal so, dass ich nichts verstehe? Was habe ich getan?«, denken die Kleinen. Umbrüche stören alle, uns und am nachhaltigsten die Kinder. Wenn sie Schwierigkeiten beim Erlernen von Sprache haben, werden sie jetzt noch unsicherer. Nicht allen Fachleuten ist bewusst, dass abrupte Sprachwechsel stören. Wollen wir etwas ändern? Dann tun wir es schrittweise, langsam und beobachten uns und unser Kind. Schneiden wir keine Fäden ab, knüpfen wir neue.

Druck

Es kann uns verrückt machen, wenn Kinder etwas nicht so aussprechen, wie wir das wollen. Aber Druck, Zoff und Schimpfen sind Gift. Oder realistisch ausgedrückt: Das hat noch nie funktioniert. Wenn ein Kind über längere Zeit nicht gut spricht, wenden wir uns an jemand, der sich genau damit befasst und viele Spiele und Wege kennt, um Sprechen gut zu üben: eine Logopädin.

 Zusammengefasst

Wir leben besser ohne Aufforderungen wie »Sag mal was auf ...« und »Übersetz mal!«. Abrupte Wechsel stören sehr. Druck wirkt wie Gift.

»Ganz ohne Mühe«

If one more person comes up to me to say »isn't it great that they get two languages for free« I think I'll scream![39]

Wenn noch jemand zu mir sagt »Ist es nicht schön, dass die Kinder ohne jede Mühe zwei Sprachen lernen«, dann schreie ich!

Karina, voll berufstätige Mutter
von Emilia (25 Monate)
und Sebastian (drei Monate), London

Vokabeln pauken, Grammatik studieren, Wörterbücher wälzen – das müssen Kinder natürlich nicht, die von Geburt an mit einer zweiten, dritten Sprache aufwachsen. Mit ihren immer wieder überraschenden geistigen Fähigkeiten saugen sie Informationen, Wörter und Anreize auf, die sich ihnen bieten. Für sie ist das Lernen tatsächlich mühelos.

Und für die Eltern? Beschönigen wir nichts – hier fängt die Arbeit an. Oft ist es auch ein Vergnügen, und unsere Belohnung ist immens, aber wir müssen die Informationen, Wörter und vielfältigen Anreize bereitstellen, damit sie unsere Kleinen aufnehmen können. Natürlich sieht das wieder niemand. Es beginnt damit, dass wir bei den gewählten Sprachen bleiben, sogar wenn uns manchmal das Wort nicht einfällt. Es bedeutet, sich eine Reaktion zu überlegen, wenn das Kind nicht auf Englisch, sondern auf Deutsch antwortet. Immer sind wir auf Jagd nach Büchern, Kassetten und Filmen. Der Umgebung müssen wir immer wieder erklären, was wir wollen und dass wir gerne für sie übersetzen, aber uns mit dem Kind in einer ihnen unbekannten Sprache verständigen, und dass das vollkommen in Ordnung ist. Urlaubsreisen führen uns fortan nach Finnland oder wo immer unsere Sprache gesprochen wird. Beständig suchen wir Kontakt zu anderen großen und kleinen Sprechern. Wir erklären unseren Kindern, dass wir nicht so sind wie manche anderen Eltern (aber so wie die Mehrheit der Menschheit, wenn sie das beruhigt). Wenn wir meinen, alles jetzt im Griff zu haben, erleben wir Überraschungen – bei Schulbeginn, wenn das Kind schreiben lernt oder wenn die Pubertät beginnt. So viel zur Leichtigkeit.

Abgesehen davon, dass der Lohn für unsere Bemühungen riesig ist – ist es einfacher, wenn wir uns auf eine Sprache beschränken? Es kostet seinen Preis, die Chance zur Mehrsprachigkeit nicht zu nutzen. Jugendliche können oft nicht verstehen, warum sie die Sprache eines Elternteils nicht lernen konnten. Die Verständigung mit der weiteren Familie bleibt begrenzt, der Kontakt zu Cousins und Großeltern muss ohne Worte klappen. Auch zwischen Müttern, Vätern, Söhnen und Töchtern zeigen sich die Grenzen, jenseits derer man sich nicht mitteilen kann – zum Beispiel, weil die Kinder ihre Gefühle nur in Deutsch ausdrücken können und die Mutter es nur auf Griechisch richtig verstehen könnte. Griechenland ist für diese Töchter und Söhne fremd, und sie werden als Ausländer behandelt.

Bilingualism is hard work, but well worth the effort. My sons are now 22 and 24 and both speak, read and write in Finnish – and love Finland and Finnish culture. They also find foreign language learning easy.

Zweisprachigkeit ist harte Arbeit, aber die Anstrengung lohnt sich. Meine Söhne sind heute 22 und 24 Jahre alt und sprechen, lesen und schreiben Finnisch – und lieben Finnland und finnische Kultur. Sie finden Sprachen lernen auch leicht.

Marjukka Grover, Herausgeberin des *Bilingual Family Newsletter* und Mutter, England[40]

Kinder mehrsprachig zu erziehen bedeutet Vergnügen und tiefe Befriedigung, aber auch Mühe und Arbeit für die Eltern, Großeltern und andere Angehörige. Doch es lohnt sich.

Schlussbemerkung

Die Mehrheit der Menschheit spricht mehr als eine Sprache, in vielen Köpfen koexistieren sogar mehr als zwei. Nimmt man regionale, soziale oder stilistische Varianten hinzu, so darf man ohne Übertreibung festhalten, dass *jeder* Mensch früher oder später mehrere sprachliche Systeme beherrscht. Die Annahme, ein Kind könne nur *eine* Sprache vollständig erwerben und sich letztlich nur in einer Sprache *zu Hause* fühlen, ist ein Irrglaube.

Wir wissen, dass Kleinkinder bereits mit zwei bis drei Jahren die Grundlagen der Sprache ihrer Umgebung gemeistert haben. Die Forschung der letzten Jahre hat gezeigt, dass dies auch für mehrsprachige Kinder gilt, bei denen Mutter und Vater unterschiedliche Sprachen sprechen oder bei denen sich die Familiensprache von der Sprache der Umgebung unterscheidet. Es wird sicher noch eine Weile dauern, bis sich die Erkenntnis durchgesetzt hat, dass man auch in einer mehrsprachigen Ausgangssituation auf die angeborene Sprachlernfähigkeit des Menschen vertrauen darf.

Freilich fällt es Eltern keineswegs immer leicht, sich auf eine stressfreie familiäre Sprachpolitik zu einigen und sie mit ihren Sprösslingen immer wieder neu auszuhandeln. Anliegen des Buches von Frau Montanari ist es, genau hier anzusetzen und eine wichtige Wissenslücke zu schließen. Sie will Eltern darin bestärken, das sprachliche Potential ihrer Kinder früh und spielerisch zu fördern. Sie räumt zugleich mit gängigen Vorurteilen auf und skizziert auf sehr verständliche Weise viele praktische Wege, um Hindernisse zu überwinden und die Mehrsprachigkeit für das Kind selbst zu einer bereichernden und emanzipatorischen Erfahrung zu machen.

Prof. Dr. Rosemarie Tracy
Universität Mannheim
Philosophische Fakultät, Anglistisches Seminar

Zum Schluss

Tausend Dank

an

meine Interviewpartnerinnen und -partner Anna, Barbara, Carol, Carlo, Catherine, Gilda, Gloria, Giulia, Jean-François, Laurette, Marion, Martina, Mehmet, Nils, Orietta, Paola, Peggy, Sabine, Sophia, Suna, Ute, die unbekannt bleiben wollende Deutschlehrerin und viele weitere Eltern, Freunde und Bekannte für ihre Offenheit,

Prof. Dr. Tracy und Prof. Dr. Meisel für ihre wertvollen Anregungen und Beiträge,

die TeilnehmerInnen der Tagungen, Seminare und Workshops für unsere spannenden Gespräche und Diskussionen,

Anja Möhring vom Sonderforschungsbereich Mehrsprachigkeit der Universität Hamburg und Gunter Irmler für Kommentare und Kritik, Dr. Inci Dirim, Mehmet Alpbek, Dorothea Lochmann, Hiltrud Stöcker-Zafari und Ping Ping Luo für Antworten, die nur sie geben konnten.

Tausendundeinen Dank an Mauro, der diese Arbeit möglich gemacht hat.

Elke Montanari

Anmerkungen

1 Übersetzung: Kemal Güler
2 Suzanne Romaine hat einen Lehrstuhl für Linguistik an der Universität Oxford. Diese Einteilung stammt aus ihrem Buch *Bilingualism* (1995). Dabei hat sie die Ideen von Harding und Riley (1986) aufgegriffen.
3 Ganz genau: Eine der verwendeten Sprachen ist die Umgebungssprache. In Deutschland, Österreich und der deutschen Schweiz ist das Deutsch, in Amerika Amerikanisch ...
4 Beginnt der Erwerb einer zweiten Sprache erst in der Schule, dann unterscheidet er sich in vielen Punkten von einem Erwerb zweier Sprachen in den ersten drei Lebensjahren. Oft wird zwischen »mehrsprachigem Erstspracherwerb« und »Zweitspracherwerb«

unterschieden. Mehrsprachiger Erstspracherwerb findet demnach in den ersten Lebensjahren statt, Zweitspracherwerb ist der Erwerb einer weiteren Sprache nach dem dritten, manchmal auch vierten oder sechsten Lebensjahr. Die Altersangabe variiert von Autor zu Autor.

5 Buckley, *Down Syndrome News and Update*, Vol. 1, No. 1, 1998

6 Wie zum Beispiel die Arbeit von Susanne Mahlstedt (1996).

7 Der australische Linguist George Saunders hat mit seinen Kindern die Fremdsprache Deutsch in englischsprachiger Umgebung gesprochen. In einem Buch berichtet er von seinen Erfahrungen: Saunders (1982)

8 Aus: *BFN* 18/2001, mit freundlicher Genehmigung.

9 Aus: Döpke (1992)

10 Aus: De Houwer (1999)

11 Aus: Döpke (1992)

12 Aus: Döpke (1992)

13 Vgl. Locke (1983)

14 Werker und Lalonde (1988)

15 Die wissenschaftlichen Ausdrücke sind »analytisches Lernen«, bei dem bevorzugt Nomen kombiniert werden, und eine »holistische Herangehensweise«, die viel imitiert, prosodische Elemente wie Satzmelodie früh wahrnimmt. Siehe dazu: Szagun (1996)

16 Eine ausführliche Darstellung findet sich in Bates et al. (1988). Sie verwenden die Ausdrücke »Strang 1 und 2«.

17 Leist (1999)

18 Mehr dazu in: Szagun (1996)

19 Dazu: Snow et al. (1976) sowie Bakker-Rennes et al. (1974)

20 Der wissenschaftliche Ausdruck dafür ist »neuronales Netzwerk«.

21 Aus: Toprak (2000)

22 Dazu: Snow et. al. (1976) sowie Bakker-Rennes et.al. (1974)

23 Manche AutorInnen benutzen das Begriffspaar »aktiv-passiv«. Doch ein Kind, das sich alles Gehörte merkt, ist überhaupt nicht passiv, nur weil es nicht redet.

24 Übersetzung: Kemal Güler

25 Diese Begriffe gehen auf Noam Chomsky zurück. Mehr darüber in: Chomsky (1957), (1993), (1994)

26 aus: *Corriere d'Italia* 23/2001, italienische Wochenzeitung in Deutschland, Frankfurt/M.

27 Aus: *BFN* 18/2001, mit freundlicher Genehmigung.

28 Gogolin (1994)

29 Das ist der Titel eines berühmten Aufsatzes der kanadischen Linguistin Shana Poplack (1980).

30 Der Fachausdruck für Umschalten ist »Code-switching«. Ein anderer wichtiger Fachausdruck heißt »Interferenz«. Mehr darüber in Poplack (1980) und Romaine (1995).

31 Dieser Ausdruck stammt von Weinreich (1953).

32 Diese Äußerung veröffentlichte Suzanne Romaine (1995), jedoch mit ganz anderen Buchstaben. Kurz vor dem Druck erlebten wir eine große Überraschung: Wir baten einen Pandschabi-Sprecher, diese Sätze zu lesen, und er sagte: »Das ist nicht Pandschabi! Ich verstehe das nicht.« Der Grund: Romaine benutzt eine phonetische Umschrift, die für Pandschabi-Leser völlig unverständlich ist. Diese Sprache wird in einer alten Schrift notiert, in Gurmukhi. Wir meinen, wir zeigen auch darin unseren Respekt vor Kulturen und Sprachen, indem wir ihre Schriften benutzen – und nicht eine westliche, wie die phonetische Darstellung. Daher hat Amrik Sangha das Zitat in Gurmukhi verschriftlicht.
Romaine hat den großen Verdienst, in England Pandschabi zugehört und der sprachwissenschaftlichen Literatur im Westen zugänglich gemacht zu haben. Dafür und für vieles mehr gebührt ihr großer Dank. Doch in dieser Verschriftlichung meinen wir, eine andere Entscheidung treffen zu müssen. Für seine wertvollen Hinweise danken wir Surminder Singh Marwaha.

33 Nach Poplack (1980)

34 Tracy (1996)

35 Leopold, W., nach Tracy (1995)

36 Folgt man dem Konzept des »ideal bilingual«, Weinreich (1968).

37 Leopold, W., nach Tracy (1995)

38 Tracy (1995)

39 Aus: *BFN* 18/2001, mit freundlicher Genehmigung.

40 Aus *BFN* 18/2001, mit freundlicher Genehmigung.

Alle Übersetzungen stammen von Elke Montanari, mit Ausnahme der türkischen Teile (Kemal Güler) und der Zitate aus anderen Publikationen.

Literatur

Arnberg, L. (1987): *Raising Children Bilingually. The Preschool Years.* Clevedon.

Bakker-Rennes, H., Hofnagel-Höhle, M. (1974): *Situatie verschillen in taalgebruik.* (Master's thesis) University of Amsterdam.

Bates, E., Bretherton, I., Snyder, L. (1988): *From First Words to Grammar: Individual Differences and Dissociable Mechanisms.* Cambridge.

BFN: Bilingual Family Newsletter. Multilingual Matters, Clevedon, England. Bezug über: www. multilingual-matters.com.

Burkhardt Montanari, E. (2000): *Wie Kinder mehrsprachig aufwachsen. Ein Ratgeber.* Frankfurt/M.

Chomsky, N. (1957): *Syntactic Structures.* Mouton.

Chomsky, N. (1993): *Language and Thought.* Wakefield.

Chomsky, N. (1994): *Bare Phrase Structure.* MIT Occasional Papers in Linguistics 5.

De Houwer, A. (1999): Two or More Languages in Early Childhood: Some General Points and Practical Recommendations. *AILA News* Vol. 1, no. 1.

Döpke, S. (1992): *One Parent, One Language. An Interactional Approach.* Amsterdam.

Gogolin, I. (1994): *Der monolinguale Habitus der multilingualen Schule.* Münster/New York.

Harding, E. and Riley, P. (1986): *The Bilingual Family. A Handbook for Parents.* Cambridge University Press, Cambridge.

Leist, Anja: »Wir haben gemacht γλνκά« – Kinder auf dem Weg zur Zweisprachigkeit. In: Çelik, H., Hrsg. (1999): *Mehrsprachigkeit, Aspekte und Standpunkte.* Bonn.

Locke, John L. (1983): *Phonological Acquisition and Change.* New York.

Mahlstedt, S. (1996): *Zweisprachigkeitserziehung in gemischtsprachigen Familien: Eine Analyse der erfolgsbedingenden Merkmale.* Frankfurt/M.

Meisel, J.M., Hrsg. (1994): *Bilingual First Language Acquisition: German and French.* Vol. 7 of Language Acquisition and Language Disorders. Amsterdam and Philadelphia.

Meisel, J.M. (2001): *From Bilingual Language Acquisition to Theories of Diachronic Change.* Arbeiten zur Mehrsprachigkeit 30. Universität Hamburg.

Montanari M. und Montanari E., Hrsg. (2001): *Als ich nach Deutschland kam. Italiener berichten*. Freiburg i. Brsg.

Müller, N., Cantone, C., Kupisch, T., Schmitz, K. (2001): *Das mehrsprachige Kind: Italienisch-Deutsch*. Arbeiten zur Mehrsprachigkeit 16/2001. Universität Hamburg.

Poplack, S. (1980): Sometimes I'll Start a Sentence in Spanish y terminó en español: Toward a Typology of Code-switching. *Linguistics* 18: S. 581–16.

Saunders, G. (1982): *Bilingual Children: From Birth to Teens*. Clevedon.

Snow, C., Arlmann-Rupp, A., Hassing, Y., Jobse, J., Joosten, J., Vorster, J. (1976): Mother's Speech in Three Social Classes. *Journal of Psycolinguistic Research*: 5. S. 1–20.

Szagun, G. (1996): *Sprachentwicklung beim Kind*. Weinheim.

Toprak, A. (2000): *Sozialisation und Sprachprobleme. Eine qualitative Untersuchung über das Sprachverhalten türkischer Migranten der zweiten Generation*. Frankfurt/M.

Tracy, R. (1995): *Child languages in contact. Bilingual language acquisition (English/German) in early childhood*. (Habilitationsschrift) Universität Tübingen.

Tracy, R. (1996): Vom Ganzen und seinen Teilen: Fallstudien zum doppelten Erstspracherwerb. In: Deutsch, W. u. Grimm, H.: (Hrsg.): Sonderheft *Sprache und Kognition* 15, 1-2, 70–92.

Weinreich, U. (1968): *Languages in Contact*. Mouton.

Werker, J. und Lalonde, C. (1988): Cross-language Speech Perception. Initial Capabilities and Developmental Change. *Developmental Psychology* 24: S. 672–683.